Un hiver avec Baudelaire

DU MÊME AUTEUR

AUX ÉDITIONS SÉGUIER

Mirabeau, le fantôme du Panthéon, 2002.

AUX ÉDITIONS J-C LATTÈS

Le Reniement de Patrick Treboc, 2007.

Harold Cobert

Un hiver avec Baudelaire

Éditions Héloïse d'Ormesson

Roman

© 2009, Éditions Héloïse d'Ormesson

www.editions-heloisedormesson.com

ISBN 978-2-35087-115-8

À eux,
pour qu'on ne les regarde plus sans les voir.

Pour Pascal et Jessica,
sa « petite bâtarde »,
sans qui ce livre n'existerait pas.

Je chante le chien crotté, le chien sans domicile,
le chien flâneur, le chien saltimbanque, le chien dont l'instinct,
comme celui du pauvre, du bohémien et de l'histrion,
est merveilleusement aiguillonné par la nécessité,
cette si bonne mère, cette si vraie patronne des intelligences !
Je chante les chiens calamiteux, soit ceux qui errent, solitaires,
dans les ravines sinueuses des immenses villes, soit ceux qui
ont dit à l'homme abandonné, avec des yeux clignotants et
spirituels : « Prends-moi avec toi, et de nos deux misères nous
ferons peut-être une espèce de bonheur ! »

Charles Baudelaire, « Les bons chiens »,
Le Spleen de Paris

Charles Baudelaire, *Les Paradis artificiels*

IL ÉTAIT UNE FOIS

L A RUE EST DÉSERTE. Pourtant, l'air est encore doux. Les soirées et les nuits restent fraîches, mais elles se gorgent de plus en plus de la tiède luminosité du jour. C'est un soir de mai, début mai, au crépuscule tendre.

La journée du dimanche s'achève. Les ombres s'allongent et s'étirent avec la mélancolie d'un week-end qui, déjà, s'enfuit de cette petite banlieue pavillonnaire en périphérie de la capitale.

Des fenêtres entrouvertes filtrent les bruits de ces existences qui se croisent tous les jours, en lignes brisées, sans jamais vraiment se rencontrer au-delà d'une politesse de voisinage ou de l'indifférence urbaine. Ils s'échappent en spirales désordonnées, tourbillonnent un instant au-dessus du bitume et montent dans le ciel se mêler au vrombissement indistinct et étouffé de la ville. Là, des bribes de conversations percent la voix de la présentatrice du 20 heures. En face, une machine à laver ronronne en rinçant le linge de la semaine passée. Plus loin, des enfants courent dans le salon en riant tandis que, penchée sur la table de la cuisine, leur mère noie un célibat subit et des fins de mois difficiles au fond d'un verre de vodka. À côté, des jeunes mariés font l'amour. Quelques maisons plus bas, une femme trompe son mari parti en déplacement. Un peu plus haut, un couple cuisine. Un autre se querelle pour une soupe trop salée. Un autre dîne en tête à tête, chacun perdu dans des pensées, ne partageant plus que des préoccupations liées aux factures du ménage.

Toutes ces vies bruissantes se fondent l'une dans l'autre en un brouhaha sourd qui fait office de silence. Dans cet entrelacs sonore, personne n'entend les cris de cette famille qui se déchire, ni les gémissements de la ceinture de cet homme qui s'offre le plaisir d'une petite bastonnade conjugale et dominicale, ni la voix de Philippe qui, assis sur le bord du lit de sa fille, murmure un apaisant « Il était une fois… ».

LE PRINCE DES ÉTOILES
ET LA PRINCESSE DE L'AURORE

CLAIRE A LES YEUX FERMÉS. Sa respiration est paisible, régulière. Philippe pose ses mains sur les genoux, bascule lentement le poids de son corps sur ses cuisses, se lève avec précaution et fait quelques pas vers la porte de la chambre.

— Papa?

Philippe se retourne, revient jusqu'au lit de sa fille, lui caresse doucement les cheveux.

— Dors, ma princesse…

— Encore une histoire…

— Il est tard, tu as école demain…

— Mais euh, j'ai six ans et demi!

— Justement, une grande fille comme toi a besoin de force pour bien travailler…

— S'il te plaît papa…

Philippe jette un coup d'œil en direction de la porte entrouverte, soupire, se rassoit sur le bord du lit.

— Alors juste une, et une petite, parce que sinon c'est papa qui va se faire gronder par maman!

Retenant leur rire, chacun fait « chut! » à l'autre en barrant ses lèvres de son index.

– *Le Prince des Étoiles et la princesse de l'Aurore!*

– Encore?

– Oui!

– Mais je te l'ai déjà racontée tout à l'heure!

– Papa…

Philippe scrute le visage de sa fille, sourit à son regard brillant d'impatience. Les enfants aiment qu'on leur raconte la même histoire. La trame, balisée maintes fois, les berce et les enveloppe comme un édredon épais et rassurant.

– Bon, d'accord…

Claire prend la main de son père.

– Papa?

– Oui, ma princesse?

– Tu vas pas nous oublier quand tu seras parti?

– Mais quelle idée! Jamais! Et puis je ne serai parti que quelques semaines…

– Combien?

Un demi-sourire sans conviction lézarde le visage de Philippe.

– Pas longtemps…

Claire a une moue renfrognée.

– Je téléphonerai tous les soirs pour te raconter une histoire.

Les yeux de sa fille trépignent.

– Tu promets?

– Promis.

Claire se tortille sous la couette et ferme les yeux. Philippe la dévisage un instant et entame une nouvelle fois les premiers mots de ce conte que lui racontait sa grand-mère quand il avait l'âge de sa fille.

— Il y a très longtemps, selon une légende très ancienne, les étoiles n'existaient pas. La nuit, le ciel était noir comme de l'encre. C'était le territoire des dieux et des esprits malins, interdit aux hommes. Le crépuscule tombé, plus personne ne sortait de chez soi, car une guerre farouche faisait rage entre les puissances du ciel et celles des enfers. Personne, à l'exception d'un jeune homme et d'une jeune fille. Ils s'aimaient, mais appartenaient à deux villages ennemis. Lorsqu'ils étaient ensemble, leur bonheur était tel qu'ils devenaient lumineux, et cette lumière troublait l'obscurité et les plans des luttes divines. Une trêve exceptionnelle fut décrétée entre les forces célestes et les forces souterraines. Elles s'allièrent pour capturer les deux amoureux. Elles les séparèrent. Le jeune homme fut emprisonné dans le ciel et la nuit; la jeune fille condamnée à ne vivre que sur la terre et dans le jour. Le jeune homme pleura tellement que ses larmes percèrent le rideau nocturne de petits accrocs scintillants qui devinrent les étoiles. Par ces brèches étincelantes, il scrutait sans relâche la surface du globe pour tenter d'apercevoir sa bien-aimée. Celle-ci se levait avec l'aurore et, pendant les quelques minutes où les étoiles s'effacent lentement de la pâleur du ciel, elle fixait à s'en étourdir, sans jamais ciller, les mille yeux de son amoureux. Ses pleurs inondaient alors le monde d'une fine pellicule qu'on appelle aujourd'hui la rosée.

À la fin de l'histoire, Philippe contemple le visage endormi de sa fille en clignant nerveusement des paupières.

— Dors, ma princesse, les étoiles veillent sur toi…

Il retire délicatement sa main de celle de Claire, caresse une dernière fois ses cheveux étalés en désordre sur l'oreiller, se lève en silence et quitte la chambre.

SEUIL CONJUGAL

A u pied de l'escalier, une valise. Philippe s'arrête à côté d'elle et la considère un instant. Par l'entrebâillement de la porte de la cuisine, s'échappent les tintements des couverts tombant dans le panier du lave-vaisselle.

Il reste un moment immobile, puis rejoint Sandrine, qui finit de remplir la machine des assiettes souillées du dîner. Depuis le seuil, il l'observe s'affairer sans qu'elle lève les yeux vers lui.

Ils s'étaient rencontrés à une soirée. À l'époque, Philippe était venu à la capitale pour échapper à son Havre natal et terminait son BTS à grand renfort de petits boulots. Il avait alors pour Sandrine le goût de l'exotisme et du défi lancé à sa généalogie. Fille d'une bonne famille versaillaise, chez laquelle on n'avorte pas, ses parents avaient tout d'abord ignoré l'affaire, attendant que jeunesse se passe. Mais elle était tombée enceinte. À Versailles, on s'était retrouvé obligé de sauver le vernis des apparences : petit mariage, discret et précipité, aide financière minimum uniquement destinée à leur petite-fille au père indésirable et non désiré. Pour le reste, on ne voulait pas en entendre parler. Pas tant que Sandrine s'obstinerait dans son erreur. Si elle admirait au début la combativité de Philippe, le souvenir de ses anciennes habitudes de vie avait lentement gâté ses sentiments de jeune femme rebelle à son ascendance. Son quotidien et son mari lui étaient lentement devenus insupportables, jusqu'à la nausée. Comme un piège qui se referme sur l'évadé.

Sandrine met le lave-vaisselle en marche. Son ronronnement serein envahit l'espace. Philippe tourne la tête et laisse errer son regard par la fenêtre. Les arbres sont en fleurs.

– Tes affaires sont dans l'entrée.

Il se retourne. Sandrine allume une cigarette, recrache lentement sa première bouffée, fait quelques pas, attrape un cendrier propre. Ses talons claquent sur le carrelage blanc.

– Rien ne peut plus te faire changer d'avis? Même pour une semaine ou deux?

Sandrine plante ses yeux dans les siens.

– Philippe, ça fait trois mois qu'on est divorcés. Je t'avais donné deux mois pour trouver une solution, mais rien. Je t'en ai accordé un de plus, et toujours rien. J'ai été plus que conciliante, tu crois pas?

– On voit que t'as jamais eu à trouver un appartement dans ma situation…

Sandrine soupire.

– Quoi?

– Rien… Mon père m'avait prévenue, dès le début…

Philippe hoche négativement la tête avec un sourire fendu.

– Ton père! J'ai jamais été assez bien pour sa petite fille chérie de toute façon… C'est lui qui exige que j'aie d'abord un appart pour prendre Claire le week-end?

Sandrine continue de fumer en silence.

– Hein, c'est lui?

– Philippe, je suis fatiguée. Tu me fatigues.

Elle s'assoit.

– Tes clefs.

Philippe fixe quelques secondes la main qu'elle tend dans sa direction, puis pose son trousseau sur la table.

– Je téléphonerai tous les soirs.

Pour toute réponse, Sandrine tire une nouvelle bouffée de sa cigarette.

– Tu peux exiger que j'aie un appartement pour recevoir convenablement ma fille, mais tu peux pas m'empêcher de lui parler au téléphone!

Sandrine rejette sèchement la fumée et écrase sa cigarette.

– Écoute, tranche-t-elle, on s'en tient désormais au strict minimum. Bonjour, bonsoir, quand tu téléphones à Claire. Pour le reste, tu vois avec mon avocat, d'accord?

Ils se dévisagent. Sans un mot, Philippe tourne les talons, prend sa valise et sort de la maison.

Dehors, il reste debout sur le paillasson, la tête baissée, le bras tendu en arrière et la main crispée sur la poignée de la porte.

Des fenêtres voisines filtrent encore quelques bruits des vies environnantes. Ils continuent de s'échapper en spirales désordonnées et de tourbillonner un instant au-dessus du bitume pour monter dans le ciel se mêler au bourdonnement asphyxié de la ville.

Philippe allume une cigarette, relève les yeux. Son regard tournoie un moment dans le vide comme s'il en suivait la course avant d'aller s'accrocher au-delà des autres pavillons, des arbres et des tours qui barrent l'horizon. Quelques étoiles percent déjà le crépuscule.

PÉRIPHÉRIES URBAINES

Il roule. Longtemps. Sans destination ni but précis. Il suit les sinuosités de la route et les hasards de ses embranchements.

Il passe de banlieue en banlieue. Toutes se touchent. Elles ne sont séparées que par deux panneaux placés de part et d'autre de la départementale. Dans un sens, celui de droite arbore le nom d'une commune tandis que celui de gauche est barré. La frontière n'est visible qu'en ces deux points de la chaussée. Ailleurs, elle est imperceptible. Un même gris diffus s'étale sur les murs des bâtiments. Malgré cette uniformité de façade, le paysage urbain n'offre qu'un visage impersonnel et défiguré. Des maisons anciennes, au style fané, côtoient des constructions à la modernité délavée. Des résidus de ville où viennent s'imbriquer des lambeaux de zones industrielles et commerciales. Ce n'est pas encore la capitale ni tout à fait la province. Juste un espace résiduel et intermédiaire, sans identité fixe.

Il freine et s'arrête à un feu rouge. La nuit est tombée. Les lampadaires jettent sur ce décor des traînées régulières et immobiles d'un jaune pisseux, auxquelles se mêlent les clignotements criards de certaines enseignes. La plupart des volets sont fermés.

Les rideaux de fer des commerçants sont tous baissés. Face à Philippe, la place de la mairie est vide. À l'exception de quelques voitures, pas la moindre trace de vie alentour. À peine un chien, qui apparaît subrepticement sur un trottoir, entre deux taches d'ombres.

Le feu passe au vert. Il démarre. À la sortie de la petite agglomération, également entrée d'une autre, se dresse l'enceinte d'un cimetière, seule preuve tangible, en creux, que la vie existe véritablement ici.

Philippe accélère. Il est bientôt minuit.

CHIEN DE FUSIL

VERS DEUX HEURES DU MATIN, il entre dans un Formule 1.
– Bonsoir, il vous reste des chambres?
– Désolé monsieur, nous sommes complets.
– Bon... merci.

Une heure et une dizaine d'hôtels plus tard, il fait les cent pas sur le parking d'une station-service en fumant une cigarette. Un vent frais souffle en bourrasques anarchiques. Il rentre la tête dans les épaules, croise les bras et, dans cette attitude courbée, continue d'aller et venir sur le bitume granuleux, puis remonte dans sa voiture. La capitale est là, de l'autre côté de la ceinture périphérique. Certains immeubles qui en barrent l'entrée ont d'étranges allures de gigantesques sapins de Noël rectangulaires tant les antennes paraboliques pullulent en guirlandes sur leurs fenêtres.

Il roule encore une demi-heure avant de prendre la direction de son bureau. Il fait plusieurs fois le tour du quartier et finit par se garer en face du bistrot où, lorsqu'il est en avance le matin, il prend de temps en temps un café.

Il descend, ouvre le coffre, son sac, en extrait un costume qu'il pend par un cintre à l'une des poignées des portes arrière du véhicule. Il attrape également un blouson en cuir qu'il ramène avec lui dans l'habitacle.

À l'intérieur, il règle le réveil de son portable sur 7 heures du matin, heure à laquelle les équipes d'entretien arrivent au bureau pour faire le ménage. Il baisse ensuite le fauteuil passager jusqu'à ce que l'appuie-tête touche la banquette arrière, s'allonge sur le dos, s'emmitoufle dans son blouson et ferme enfin les yeux. Il est 4 heures passées de quelques minutes.

Un quart d'heure plus tard, à peine, il se redresse et se frotte le coccyx en grimaçant. Il regarde ses jambes qu'il ne peut allonger complètement. Il se retourne, abaisse le dossier de la banquette arrière pour essayer de la faire reculer et mettre ainsi réellement son siège à l'horizontal. Sans effet. L'angle formé par le dossier et le siège du fauteuil passager ne peut en aucune façon être réduit. Il subsiste un léger dénivelé qui casse le bas du dos.

Il se couche sur le côté. Malgré les vitres légèrement teintées, la lumière blafarde d'un lampadaire inonde l'intérieur de la voiture. Il se relève, déplace le cintre auquel est pendu son costume et l'accroche sur la poignée de la porte arrière opposée, en face de lui, de sorte que son ombre projetée enveloppe son visage.

Il se rallonge, recroqueville ses jambes sur le siège, replie son bras gauche sous sa tête et ferme les yeux. Progressivement, sa respiration se fait plus lente et plus profonde.

Soudain, les grésillements aigus d'une mobylette trafiquée transpercent le silence de la nuit, avant de le déchiqueter en se rapprochant dans une véritable pétarade.

Il rouvre les yeux, soupire, les referme. Il rajuste son bras et ses jambes, reste immobile, bouge de nouveau, se fige, gigote encore, quand, d'un geste sec, il retire le blouson qui le couvre et se redresse d'un coup. Il se passe la main dans les cheveux, le cou, sur le visage, laisse errer son regard autour de lui sans parvenir à le fixer.

Une voiture passe à proximité. Il plisse les paupières, ébloui par les phares. Le véhicule freine, ralentit, s'arrête pour tourner finalement dans la rue adjacente. Tandis qu'il s'éloigne et que seul le clair-obscur artificiel trouble la nuit environnante, il relève le dossier du siège en position normale, s'installe à l'arrière et, le haut du corps pelotonné dans son blouson, s'allonge en chien de fusil sur la banquette.

Il est bientôt 5 h 15.

MATIN BLÊME

IL SE RÉVEILLE EN SURSAUT. Pendant quelques secondes, il regarde autour de lui avec stupeur et inquiétude, se rallonge en soupirant profondément. Son visage est humide, moite d'une sueur froide imprégnant la racine de ses cheveux.

Il se passe la main sur la figure. Ses traits sont tirés par le peu de repos et de répit de la nuit. Ses paupières sont encore gonflées des résidus d'un sommeil fragile et fuyant. Un jour frais perle en buée sur le pare-brise. Il est 6 h 13.

Dehors, l'aube frissonne. L'activité et la vie citadines s'affairent dans le matin blême. Des passants vont et viennent, entrent et sortent du bar-tabac, quittent le Point presse avec les journaux du jour. Des employés du supermarché déchargent un camion de livraison. Deux hommes des services de la municipalité nettoient la chaussée et les trottoirs. L'un derrière, dans un véhicule miniature, l'autre devant, armé d'un karcher dont le jet achemine les déchets et les détritus dans le caniveau, puis vers l'abysse des égouts.

Il enfile son blouson, sort de la voiture, traverse, entre dans le bar-tabac et s'accoude au comptoir. Le reconnaissant, Henry, le patron, l'interpelle :

– Hé, t'es bien matinal aujourd'hui!

– Du boulot en retard.

Henry regarde Philippe.

– T'as la gueule des mauvais jours. Tout va bien chez toi?

– Je te dis, du boulot en retard. Et puis pas mal de pression au bureau en ce moment.

Henry le dévisage d'un air peu convaincu.

– Ouais, on en est tous là. Drôle d'époque… Je te sers quoi?

– Un double express. Et un croissant.

Philippe attrape le journal et commence à le parcourir pendant qu'Henry s'active derrière le bar. Dans les pages « société », un article est consacré à la fermeture des centres d'hébergement pour les SDF. L'auteur du reportage rappelle que la grande majorité ne fonctionne que de novembre à mai. Il pointe, chiffres à l'appui, que, contrairement à un *a priori* tenace, la mortalité des sans-abri est tout aussi élevée en été qu'en hiver. À l'arrivée des beaux jours, ceux qui ont survécu au froid ont en effet épuisé leurs défenses. Et l'alcool, la chaleur, les vêtements inadaptés et la déshydratation viennent encore fragiliser un corps affaibli et usé.

À la suite de l'article, deux encarts mettent en lumière deux structures originales ouvertes toute l'année : le « Village de l'Espoir », créé en janvier 2007, rassemblant une trentaine de bungalows pour des SDF en phase de se réinsérer, et *Le Fleuron*. Créée en août 1999 par l'ordre de Malte et 30 Millions d'Amis, cette péniche est la première structure, et la seule, à accueillir les sans-logis, appelés ici « passagers », avec leurs chiens et à leur offrir des consultations vétérinaires gratuites. Pionnière en la matière, elle propose un service de suivi et d'accompagnement dans les démarches administratives afin de favoriser la resocialisation pendant les quatre semaines où ses « passagers » peuvent séjourner à bord. Une autre péniche est actuellement en fin d'aménagement. Elle pourra accueillir une trentaine de personnes en voie de réinsertion durable pendant plusieurs mois. « 10 % de ceux qui ont séjourné à bord du *Fleuron* sont repartis soit avec une formation soit avec un emploi ; un exploit, quand on sait qu'à peine 2 % de ceux qui ont basculé dans la rue remplissent réellement les conditions pour s'en sortir », conclut le journaliste.

Il regarde sa montre : il est bientôt 7 heures. Il replie le journal et boit la dernière gorgée de son café, déjà froid.

– Combien je te dois ?

– Cinq !

Philippe prend son portefeuille et en ouvre les deux battants : d'un côté, sa carte d'identité, de l'autre, une photo de sa fille. Il s'arrête un instant sur le sourire et le visage de Claire, puis paie Henry et sort dans l'agitation du jour.

Intimité

Son costume et sa trousse de toilette à la main, il entre discrètement dans les bureaux de la société de pompes à chaleur pour laquelle il travaille. Il se faufile dans les couloirs et se glisse dans les toilettes des hommes.

Face au miroir, il scrute sa mine tirée, ses yeux cernés, les golfs qui rongent ses tempes. Les soucis et sa mauvaise nuit alourdissent ses traits et ses rides, plus creusés encore sous la luminosité des néons et la réverbération du carrelage blanc.

Il retire ses vêtements, garde son caleçon et ses chaussettes, se passe de l'eau froide sur le visage, dans les cheveux, le cou. Il s'asperge ensuite sous les bras et sur le haut du corps, avant de se laver le sexe dans le lavabo en se hissant sur la pointe des pieds.

Il attrape quelques essuie-mains en papier et commence à se frictionner, mais ces serviettes sont trop fines, elles se percent au contact de sa peau mouillée et s'accrochent entre ses poils en minuscules billes granuleuses. Après une moue de dépit, il regarde autour de lui, va se placer face au sèche-mains automatique, tourne le bec amovible et actionne la machine.

Alors qu'il se contorsionne sous le jet d'air chaud, Mahawa, une femme du personnel d'entretien, entre nonchalamment avec son chariot. À la vue de cet inconnu à moitié nu, elle sursaute et laisse échapper un petit cri de stupeur. Philippe lève les yeux vers elle. Ils restent à s'observer, immobiles et déconcertés, séparés par le brouhaha rassurant du sèche-mains. Lorsque celui-ci cesse, le silence vide la pièce et les laisse face à face.

Avec un sourire embarrassé et inquiet, Mahawa commence à reculer. Philippe fait un pas vers elle.

– Non, attendez!

Mahawa se fige.

– Rassurez-vous, lui dit-elle avec un accent africain prononcé, je vous ai pas vu…

– C'est pas du tout ce que vous pensez, je… je travaille ici…

Philippe fouille rapidement les poches de son pantalon, en extrait son portefeuille d'où il tire une carte sur laquelle figurent sa photo et le logo de la société. Il la tend à Mahawa.

– Tenez, regardez…

– Je vous crois, je vous crois…

Philippe s'avance et s'arrête à une distance raisonnable.

– Non, vraiment, regardez…

Mahawa se penche en avant. Lorsqu'elle se redresse, son visage se détend.

– Vous voyez?

– Excusez-moi, j'ai cru un instant que…

– C'est normal. À votre place, j'aurais pensé la même chose!

La jeune Africaine fronce les sourcils.

– Mais alors…

– J'ai roulé toute la nuit, anticipe Philippe… une tournée en province… plutôt que de repasser chez moi, je… voilà…

Les yeux de Mahawa s'arrêtent brièvement sur l'alliance de Philippe.

– Et puis vous avez vu ma tête, je voulais pas effrayer ma femme au réveil!

Tous deux ont un petit rire de circonstance.

– Je vais commencer par les toilettes des dames, je repasserai plus tard…

– J'en ai pas pour très longtemps. Un coup de rasoir, et j'ai fini.

Mahawa va pour sortir.

– Mademoiselle?

Elle se retourne vers lui.

– Si vous pouviez…

Il désigne la pièce d'un mouvement de bras sans achever sa phrase.

– Enfin, vous voyez?

– Je vous l'ai dit, je vous ai pas vu…

Ils échangent un sourire entendu. Mahawa sort.

Philippe reste figé, le regard dans le vide malgré ses yeux rivés sur la porte qui vient de se refermer.

Soudain, le bruit d'une chasse d'eau franchit la cloison mitoyenne séparant les toilettes des hommes de celles des femmes. Puis les portes qu'on ouvre et qu'on ferme, la céramique qu'on brique.

Philippe revient à lui, retourne au lavabo et commence à se raser.

APRÈS LA GRAND-MESSE

NEUF HEURES PASSÉES. La vaste salle des commerciaux et des VRP bruisse comme une ruche. Quatre doubles rangées de néons quadrillent le plafond, projetant une lumière de bloc opératoire. L'absence de séparation entre les bureaux, groupés par rectangles de six, interdit toute intimité et limite les moments d'inactivité. Devant, derrière, à droite, à gauche, il y a toujours quelqu'un à proximité susceptible de surprendre et d'entendre une conversation, privée ou professionnelle, de voir sur quoi travaille un tel, sur quel site surfe un autre. Pour trouver un peu de calme et de solitude, il faut descendre dans la rue et prendre ainsi une pause aux yeux de ceux qui ne quittent pas leur poste de travail. Tout est fait pour que rien ne détourne l'attention du seul salut métaphysique viable : vendre du bon de commande. Sur le mur du fond, un large tableau récapitule les objectifs hebdomadaires de chacun pris lors de la grand-messe qui inaugure la journée et la semaine, compte à rebours invisible d'une bombe accrochée à chaque cheville.

Tandis que tout le monde s'agite déjà – relance de clients, démarchage téléphonique sauvage, prise de rendez-vous –, Philippe note subrepticement quelques numéros d'hôtel à appeler pour la nuit prochaine.

— Alors Philou, on glande en pensant au week-end dès le lundi maintenant?

Philippe sursaute. Il veut fermer la page Internet affichée sur son ordinateur, mais Stéphane Tascal, le jeune loup affamé de la meute, s'assoit sur son bureau.

— Des hôtels? Ta femme t'a viré ou quoi!

— T'es con! Je veux lui faire un week-end surprise…

Stéphane regarde plus attentivement l'écran de Philippe.

— Dans un Ibis de banlieue? Sympa, ta surprise!

Philippe va pour rétorquer, mais Stéphane ne lui en laisse pas le temps.

— Attends, attends, j'ai compris!

— T'as compris quoi?

— C'est pour tes cinq à sept du midi?

— Mais non!

— Allez, tu peux me le dire, tu sais… C'est pour ça que t'as une sale gueule ce matin? Tu fais ça avant le boulot, histoire de commencer la journée plus décontracté?

— Mais non, je t'assure!

— Détends-toi mon Philou… Un petit coup de temps en temps dans les sentiers de traverse, ça a jamais tué un mec!

Voyant la tournure désastreuse que prend la conversation, Philippe glisse discrètement la main dans la poche de sa veste et, sur son portable, compose le numéro de son téléphone fixe de bureau, qui se met à sonner. Il s'excuse auprès de Stéphane et répond.

— Philippe Lafosse… Oui, monsieur Markovic, merci de me rappeler…

Il met la main devant le micro du combiné.

– Un client… murmure-t-il à l'intention de Stéphane.

Celui-ci lève ses deux pouces en signe d'encouragement et retourne à son bureau.

Philippe continue sa conversation fictive, fait mine d'inscrire un rendez-vous dans son agenda, raccroche. Puis il rassemble rapidement ses affaires pour partir, lorsque François, le directeur commercial, l'interpelle :

– Philippe, on peut se voir cinq minutes ?

CONFESSIONNAL

P**HILIPPE ENTRE** et François referme la porte derrière lui. Bien qu'il y ait moins de néons dans cette pièce, l'éclairage est toujours aussi uniforme et impersonnel.

– Assieds-toi.

– Merci.

Les deux hommes prennent place de part et d'autre d'un grand bureau en verre. Un dossier est posé devant François.

– Alors, comment ça va ?

– Bien.

– Vraiment ?

– Oui.

– T'as pourtant pas l'air dans ton assiette ce matin ?

– Une mauvaise nuit. Rien de grave.

– Ta femme ?

– Ma femme ?

– Oui, comment elle va ?

– Ah… Bien, merci.

– Et ta fille ?

– Très bien aussi.

François sourit mécaniquement et se lève. Les mains dans les poches, il fait quelques pas jusqu'à la fenêtre.

– Tu m'as tout l'air d'un homme comblé…

De dos à Philippe, François reste un instant silencieux. Dehors, le ciel est d'un bleu lavande.

– Alors pourquoi tes résultats sont-ils aussi catastrophiques?

François se retourne et s'appuie dans l'encadrement de la fenêtre. Le contre-jour voile son visage.

– Hein, pourquoi?

– Je…

François revient s'asseoir et ouvre le dossier posé sur le bureau.

– Moins 20 % il y a deux mois, moins 10 % le mois le dernier, soit une chute de 30 % sur l'ensemble de la période. À côté, la majorité des petits loups sont en progression constante, notre secteur d'activité est en pleine expansion. Alors?

Philippe croise le regard de François et le détourne aussitôt.

– Philippe, quels que soient les soucis que tu peux avoir dans ta vie privée, ils ne doivent pas franchir le seuil de ces bureaux.

Les yeux de Philippe furètent un instant dans la pièce avant de se raccrocher à un point du mur.

– Je vais me reprendre…

Les deux hommes se jaugent.

– Je vais redresser la barre, insiste Philippe.

– J'espère… N'oublie pas que ton CDD prend fin ce mois-ci…

François referme le dossier avec un sourire machinal.

DÉMARCHAGE TÉLÉPHONIQUE

PHILIPPE SE RÉVEILLE et se redresse brutalement. Il scrute avec anxiété la pièce autour de lui, puis retombe sur le lit en expirant profondément. Une luminosité de fin de journée filtre par la fenêtre ouvrant sur le parking. Des voix s'échappant d'un téléviseur lui parviennent d'une manière asphyxiée à travers le plafond.

Il se passe plusieurs fois la main sur le visage et jette un coup d'œil à sa montre : il est un peu plus de 18 heures. Venu poser ses affaires après le déjeuner, il s'est allongé quelques minutes et s'est endormi. Il n'est donc pas retourné au bureau.

Il ramène les mains derrière sa tête et laisse son regard se perdre dans la blancheur hypnotique du plafond. Le bilan de cette première journée sans rentrer au domicile conjugal n'est même pas à l'image de cette chambre standard de Formule 1 : des rendez-vous pris pour visiter d'éventuels appartements, mais aucun avec des clients potentiels. Des dizaines et des dizaines de coups de téléphone pour autant de refus.

– Allô ?

– Oui, bonjour madame, excusez-moi de vous déranger, j'aurais voulu parler à Mme Lemaire…

– C'est moi…

– Bonjour madame Lemaire, je me présente, Philippe Lafosse, Société PAC…

– Connais pas.

– Nous sommes une société d'équipement en pompes à chaleur. Avez-vous entendu parler des pompes à chaleur, madame ?

– J'ai besoin de rien, merci.

– Nous pourrions prendre rendez-vous pour…

Bip, bip, bip. Et encore, Mme Lemaire a laissé se dessiner l'ébauche d'un échange et a dit « merci » avant de raccrocher. En règle générale, le dialogue avorte avant même d'être esquissé.

– Oui allô ?

– Bonjour monsieur, excusez-moi de vous déranger, j'aurais voulu parler à M. Fontanel…

– Lui-même.

– Bonjour monsieur Fontanel, je me présente, Philippe Lafosse de la…

Chgling.

Parfois, certains interlocuteurs reconnaissent immédiatement le démarchage sauvage au léger temps de latence entre le moment où ils répondent et celui où le commercial, à cause de son oreillette, entame la conversation. Réaction souvent radicale et sans appel :

– Allô ? Allô ?

– Bonjour monsieur, je…

Chglung. Terminé.

Quelquefois, à défaut d'obtenir un rendez-vous, un appel bascule dans l'incongruité la plus totale :

– Allô j'écoute ?

– Bonjour monsieur, excusez-moi de vous déranger, j'aurais voulu parler à M. Maurice.

– C'est moi, Robert Maurice.

Dans le combiné, Philippe entend les aboiements stridents d'un petit chien.

– Bonjour monsieur Maurice, je me présente, Philippe Lafosse, Société PAC...

– Chut, petite pute! Papa est au téléphone...

– Je vous demande pardon?

– Oh, excusez-moi, c'est Sharon Stone, ma chienne... Je l'appelle petite pute parce que c'est comme ça que le boxeur Mani appelle Sharon Stone, la vraie, dans *Basic Instinct 1*... Mais pardon, vous disiez?

Les aboiements redoublent.

– Je vous dérange, monsieur Maurice, vous préférez peut-être que je rappelle plus tard?

– Non, non, non, pas du tout, je vous en prie...

– Je travaille pour une société de pompes à chaleur, et...

– Ah, formidable!!! C'est écologique, non, les pompes à chaleur?

– Oui, entre autres...

– Parce que ma Sharon à moi est très concernée par l'écologie, comme la vraie d'ailleurs... Elle sent bien les problèmes de pollution... Elle est extrêmement sensible, vous savez?

Une demi-heure de cette facture pour, au bout du compte, ne pas décrocher de rendez-vous, Sharon Stone n'aimant pas trop être troublée dans ses habitudes. Et même si l'on obtient un entretien à domicile, encore faut-il persuader le client pour repartir avec le bon de commande et le premier acompte.

Philippe attrape la télécommande de la télévision sur le meuble en contreplaqué faisant office de table de chevet et allume le petit écran. Il zappe entre les sitcoms, les talk-shows, les émissions d'actualité, les publicités, les informations régionales, nationales et leurs réjouissances quotidiennes. La baisse du pouvoir d'achat y côtoie la hausse vertigineuse du bénéfice de certaines entreprises du CAC 40, la fermeture des centres d'hébergement flirte avec l'arrivée des beaux jours et les premiers bains sur la Côte d'Azur, la faim dans le monde jouxte les différents régimes en prévision des maillots et de l'été, pour finir avec une météo qui va se gâter et virer automnale en milieu de semaine, preuve qu'il n'y a plus de saisons à cause du dérèglement climatique.

Après l'annonce du programme de la soirée et un « Bonsoir » suave du présentateur, Philippe éteint le téléviseur, s'assoit sur le bord du lit, le regard dans le vide, avant de se lever, de prendre sa veste et de sortir.

CLOWN ROUGE ET OR

PHILIPPE POSE SON PLATEAU et s'assoit. Le McDonald's de cette zone commerciale est étrangement animé pour un lundi soir. Des familles sont attablées devant des monceaux de boîtes en polystyrène, d'emballages plastiques chiffonnés et de gobelets. Derrière les rires et l'agitation des enfants, les fronts sont barrés de soucis, les épaules lourdes de surendettement. Çà et là, également, des groupes d'adolescents mangent des frites et des hamburgers, boivent des milk-shakes, parlent fort et affichent une assurance poreuse, toute fissurée de leur mal de vivre et de leurs questionnements existentiels.

Le reflet de Philippe dans la vitre se superpose à un autocollant au contour transparent, représentant, tout sourire, le clown rouge et or de l'enseigne.

Tandis qu'il dîne en tête à tête avec cet Arlequin figé du capitalisme planétaire, son téléphone portable sonne. L'écran affiche le prénom « Jérôme », l'une de ses rares relations méritant d'être considérée comme un ami. Ils ont travaillé dans la même entreprise sept ans auparavant, avant que le beau-père de Jérôme ne lui confie un poste plus élevé dans l'entreprise familiale. Petit copain de la meilleure amie de Sandrine, depuis devenue son épouse, Philippe l'avait rencontré lorsqu'il commençait à fréquenter sa future femme. Ses amitiés d'enfance s'étaient alors déjà diluées dans la distance de ses deux années d'études et le fossé que sa nouvelle vie avait creusé entre eux. Par la suite, les responsabilités de la paternité l'avaient rapidement happé. Il avait souvent changé de travail, ne nouant que des camaraderies et des liens de bureau éphémères. D'autant plus éphémères que Sandrine avait toujours catégoriquement refusé de se mélanger à eux, tandis que lui se devait d'accepter les amis de sa femme sans discuter, en bloc.

Philippe regarde l'écran où, à chaque sonnerie, continue de clignoter le prénom de « Jérôme ». Il le remet dans sa poche et finit son dîner. Quand il a terminé, il rassemble les emballages froissés de son repas, débarrasse son plateau et rejoint sa voiture. Il fume en contemplant les grands hangars rectangulaires de la zone, où des milliers de personnes viennent donner un sens aux longues heures du week-end en consommant à crédit, puis il prend son portable et compose le numéro de ce qui, il y a à peine vingt-quatre heures, était encore « chez lui ».

Cinq sonneries dans le vide, et le répondeur s'enclenche :

« Bonjour, vous êtes bien chez Sandrine et Claire, nous ne sommes pas là pour le moment, merci de nous laisser un message, à bientôt… »

Sandrine n'a pas perdu de temps pour changer l'annonce du répondeur où, jusqu'à hier, sa fille et lui parlaient ensemble.

– Oui, bonsoir, c'est Philippe… Lundi soir, aux environs de 21 h 15… Je… je voulais parler à ma princesse… J'avais promis de l'appeler tous les soirs… pour lui raconter une histoire… Donc voilà… Y a vraiment personne?… Allô allô?… Bon, je vais essayer sur ton portable, Sandrine… Je vous embrasse… C'était papa…

Il raccroche et appelle sur le mobile de son ex-femme. Il tombe directement sur la messagerie.

– Sandrine, je ne sais pas si tu es sortie avec la petite ou si tu refuses de me répondre à la maison, mais… enfin, j'ai laissé un message sur le fixe… Donc, sois gentille, et dis bien à Claire que je lui ai téléphoné comme je l'avais promis…

Il raccroche et reste un moment le regard perdu dans les ombres du paysage urbain, avant de mettre le contact et de rentrer à son hôtel.

Apparences

D**IX JOURS PLUS TARD**, jeudi. Son portable à la main, Philippe fume en faisant les cent pas dans sa petite chambre du Formule 1.

Déjà la fin de la deuxième semaine de mai. La moitié du mois en cours est définitivement écoulée, et toujours rien. Il s'est pourtant démené comme un fauve, restant au bureau jusqu'à tard dans la nuit, mais, à l'exception de deux rendez-vous clients concluants, aucun de ceux qu'il a réussis à obtenir n'a débouché sur le sacro-saint bon de commande. Il doit encore en décrocher neuf avant la fin du mois. Les autres commerciaux n'en ont plus que deux à rapporter, trois tout au plus, sans parler de Stéphane Tascal, qui en est à vingt-six et crève le plafond de ses objectifs. Face à un tel retard, il a commencé à prospecter les offres d'emploi à pourvoir dans son secteur d'activités. Quant aux appartements, il n'a aucune nouvelle des sept qu'il a visités et pour lesquels il a déposé un dossier. Et, malgré des coups de fil répétés jusqu'à la limite du harcèlement, toujours aucune nouvelle de sa fille et de son ex-femme.

Il écrase sa cigarette et en allume une autre. Pour la énième fois, il rappelle Sandrine. Pour la énième fois, il tombe directement sur sa boîte vocale. Et pour la énième fois, il raccroche avant la fin de l'annonce, sans laisser de message. Il jette sèchement son téléphone sur le lit et s'immobilise en contractant compulsivement les maxillaires.

La télévision est allumée. Elle diffuse en fond sonore une série policière française au rythme et au suspense soporifiques.

Soudain, son portable sonne. Il se précipite. Sur l'écran s'affichent les cinq lettres qui forment le mot « Maman ». Philippe soupire, regarde autour de lui en agitant son téléphone comme s'il le soupesait. Ses parents vivent encore dans la proche banlieue du Havre où il a passé son enfance et son adolescence. Depuis son départ à Paris pour son BTS, à l'époque fortement désapprouvé par son père qui lui avait refusé tout soutien financier, Philippe a gardé essentiellement contact avec sa mère. Pendant les études de son fils, elle rognait secrètement chaque jour sur le panier de son marché pour lui envoyer un peu d'argent à la fin du mois.

Les cinq lettres continuent d'illuminer l'écran de son portable. Il finit par répondre.

— Maman…

— Mon petit, comment tu vas ? J'avais pas de nouvelles, j'étais inquiète…

— Maman, je t'ai eue samedi dernier au téléphone…

— T'as une petite voix, quelque chose ne va pas ?

— Non, ça va…

— Je te connais : quand tu ne m'appelles pas, c'est que quelque chose ne va pas…

— Mais non, maman, tout va bien…

— Pas de problèmes d'argent ?

— Non…

— À moi, tu me le dirais ?

– Oui, t'inquiète pas pour rien.

– Promis ?

– Mais oui !

– Bon… Et la petite ?

– Bien, je crois.

– Comment ça, tu crois ?

– J'ai travaillé trop tard, je l'ai pas eue au téléphone.

– T'es pas chez toi ?

– Non, je suis en déplacement, en province.

– Où ça ?

– Dans le Sud, près de Lyon.

– T'as beau temps ?

– Moui…

– Ah bon ? À la météo, ils ont dit qu'il pleuvait dans ce coin-là…

– Et toi, ça va ?

La mère de Philippe égrène alors son quotidien : ses ménages, ses patrons parfois blessants, ses problèmes d'intestins, ses douleurs articulaires, sa vue qui baisse, la vie qui est trop chère, les querelles de voisinage.

– Et papa ?

Même litanie : les chantiers navals, le cholestérol, les hernies discales, le corps déjà brisé avant la retraite. Et, pour finir, la sempiternelle question :

– Tu viens nous voir bientôt, avec la petite ?

– Je sais pas maman, j'ai beaucoup de travail en ce moment.

– T'as beaucoup de travail ou c'est parce que ta femme nous aime pas ?

– Maman, commence pas avec ça.

– Mais c'est vrai! On a jamais été assez bien pour elle et pour ses parents!

– Maman, s'il te plaît, arrête! Pas ce soir.

L'agacement manifeste et le ton de Philippe font bifurquer la conversation. Sa mère soliloque encore une dizaine de minutes, puis Philippe coupe court :

– Bon, maman, faut que j'y aille. J'ai encore des dossiers à traiter pour demain matin.

– Tu prends soin de toi. Et tu donnes des nouvelles.

– Oui. Embrasse papa.

Il raccroche et écoute immédiatement sa boîte vocale. Pas d'appel en absence, encore moins de message. Il essaie une dernière fois sur le portable de Sandrine. En vain.

Dehors, il fait nuit.

L'ÉCOLE EST FINIE

L E LENDEMAIN, vendredi, 16 h 45.
Entourée de ses trois meilleures copines, Claire sort sur le trottoir devant son école. Les quatre filles sont en grande discussion. Leur cartable bien vissé sur le dos, elles chuchotent en montrant du doigt d'autres élèves et gloussent sous cape.

Lorsque le regard de Claire croise celui de son père, un sourire entaille largement son visage.

— Papa !

Elle court et se jette dans ses bras.

— Comment va ma princesse ?

À ses pieds, un grand sac plastique.

— C'est quoi ?

Il en tire un gros chien en peluche. Sa fille le prend et le serre contre elle.

— Tu rentres à la maison ?

— Non, ma princesse. Je suis juste de passage pour quelques heures.

Claire a une moue déçue.

— Maman est pas là ?

— Sandrine est partie deux semaines aux Maldives, en vacances.

44

Philippe se retourne et se retrouve face à Jean-Paul, le père de son ex-femme.

— Après ce qu'elle a enduré, ajoute-t-il, c'était bien naturel, non?

À quelques mètres derrière lui, son épouse, Marie. Elle salue Philippe d'un mouvement de tête distant.

— Vous n'étiez pas censé être en déplacement? lui demande-t-elle avec un sourire glacé.

— Je repars tout à l'heure.

— Parfait! commente Jean-Paul en se penchant vers sa petite fille. Tu viens embrasser Bon Papa?

Claire s'approche et lui fait une bise, ainsi qu'à sa grand-mère.

— Vous avez eu Sandrine au téléphone?

— Évidemment, tous les jours, lui répond Marie.

— Évidemment.

Il se tourne vers Claire.

— Maman t'a dit que j'ai téléphoné tous les soirs, à la maison et sur son portable?

Elle fait non de la tête, mais sourit à son père.

— Elle aura sans doute oublié de mentionner ce détail, rétorque Jean-Paul avec une amabilité de parade. On oublie tout en vacances, surtout ce qui nous est désagréable…

— Elle revient quand?

— Dimanche! s'exclame Claire pour être entendue.

Les trois adultes se regardent.

— Bon, tranche Marie, tu embrasses Philippe et on rentre à la maison?

Claire rejoint son père, qui la prend dans ses bras, la serre contre lui et l'embrasse.

— N'oublie jamais que je t'aime, ma princesse.

— Je t'aime aussi, papa...

— Allez, allez, les interrompt Jean-Paul, Bonne Maman t'a préparé des crêpes...

Philippe repose sa fille, qui va prendre la main de sa grand-mère. Marie salue son ex-gendre d'un mouvement pointu du menton avant d'entraîner sa petite fille à sa suite. Claire se retourne. Philippe lui sourit et lui envoie un baiser. Il tend ensuite la main à Jean-Paul, mais celui-ci se détourne sans même le gratifier d'un regard condescendant.

SOURIRES IMMOBILIERS

LUNDI APRÈS-MIDI. Philippe tend son dossier à l'agent immobilier. Celui-ci l'ouvre et le parcourt en vérifiant qu'il est complet.

Le week-end a été pire encore que la semaine passée. S'il a fini par accepter d'aller au cinéma avec Jérôme, sa femme Gaëlla et Victor, leur fils de cinq ans, il a préféré décliner leur invitation à venir ensuite dîner chez eux, prétextant un surplus de travail à finir en urgence. À l'exception de cette sortie et de ce rendez-vous pour un 25 m², pris vendredi en fin d'après-midi, rien de notable ne s'est produit. Ni bonne ni mauvaise nouvelle. Rien.

– Pas de caution parentale?

– J'ai vingt-sept ans…

L'agent immobilier coche une case sur une feuille en lui adressant un sourire de façade, lèvres pincées. Ils ont beau parler doucement, leurs voix résonnent contre les murs vides du studio.

– Pas de CDI non plus?

– C'est mon deuxième CDD dans cette entreprise…

Même sourire de vitrine pour tout commentaire.

– Et je suis bien parti pour être reconduit…

Le portable de Philippe sonne. Avec des gestes précipités et désordonnés, il l'extirpe de la poche intérieure de sa veste et regarde l'écran : « numéro privé ».

— Et vous gagnez… le SMIC…

— Plus les primes…

Philippe coupe son téléphone et le remet dans sa poche. Le silence envahit la pièce, uniquement rompu par les feuilles que tourne l'agent immobilier : photocopie de la carte d'identité, avis d'imposition, relevés bancaires, certificat de travail, déclaration sur l'honneur…

— Vous pensez que j'aurai une réponse quand ?

— Nous allons transmettre votre dossier avec les autres au propriétaire, c'est à lui qu'appartient la décision finale.

— Vous pensez que ça va aller ? Je veux dire…

— Généralement, il exige un salaire de trois à quatre fois supérieur au montant du loyer, le vôtre représente à peu près… une fois et demie, presque deux fois le loyer… Et une caution parentale, surtout si c'est une caution solidaire, est un plus indéniable, mais…

Il laisse sa phrase en suspens.

— Mais ?

— Qui sait ?

Nouveau sourire de devanture, suivi d'un geste de la main signifiant un « Je vous raccompagne ? » sans point d'interrogation.

En sortant de l'ascenseur, Philippe croise un jeune couple avec un épais dossier sous le bras. Tandis qu'il traverse le hall d'entrée, il entend la femme demander à son compagnon :

— T'as bien pris les feuilles d'imposition de mes parents ?

— Oui.

– Et le courrier où ils se portent garants ?

– Oui, oui, j'ai tout.

Philippe pousse la porte de l'immeuble et, en fumant une cigarette, marche à pas lents jusqu'à sa voiture. Une fois à l'intérieur, il rallume son portable, le dépose sur le siège passager, démarre.

Il va pour mettre sa ceinture, mais le bip indiquant qu'il a un message retentit. Tout en effectuant sa manœuvre, il rappelle sa boîte vocale : « Vous avez un nouveau message. Message reçu aujourd'hui à 16 h 27 : "Monsieur Lafosse bonjour, monsieur Maury à l'appareil…" »

Philippe ouvre des yeux ronds comme des trous d'obus.

« J'ai bien eu tous vos messages depuis notre brève conversation il y a… plus d'un mois déjà… »

L'interlocuteur en question est le propriétaire d'une des plus grosses chaînes d'hôtels des autoroutes du Nord et des zones périphériques des grandes villes de ces régions.

« Pardonnez-moi ce délai, mais j'ai été très pris ces derniers temps… »

Après une approche difficile, où il avait fallu trouver un compromis périlleux entre le harcèlement et une trop grande distance, Philippe avait réussi à lui parler deux minutes en direct, mais sans parvenir à obtenir un rendez-vous ferme.

« J'ai essayé de vous joindre plusieurs fois à votre bureau cet après-midi, mais on m'a dit que vous étiez avec un client à l'extérieur… »

Le convaincre d'équiper ses établissements en pompes à chaleur, c'était une cascade de contrats lui permettant de réaliser un chiffre d'affaires équivalent à pratiquement une année d'objectifs hebdomadaires.

« Je n'avais plus votre portable alors je me suis entretenu avec l'un de vos collaborateurs, qui me l'a donné… Monsieur… Stéphane Tascal, je crois… »

Le visage de Philippe se crispe.

« Pour ne pas perdre plus de temps, j'ai pris rendez-vous avec lui et… je le vois tout à l'heure, en fin de journée… »

– Non !

Sans écouter la fin du message, il rappelle immédiatement.

– M. Maury vient de rentrer en réunion, je peux prendre un message ?

– Je rappellerai, merci.

Il compose le numéro du poste de Stéphane au bureau : boîte vocale. Son portable : boîte vocale. Alors qu'il va lui laisser un message, un policier en moto se place à son niveau et lui fait signe de se ranger.

– Et merde !

Philippe coupe son portable et obtempère.

POMPES À CHALEUR

PHILIPPE ENTRE EN TROMBE dans la grande salle. La porte rebondit bruyamment contre le mur avant de ricocher contre sa propre serrure. Sous les regards médusés des autres commerciaux, il traverse la pièce d'un pas déterminé. Sans frapper, il s'engouffre dans le bureau de François.

— Stéphane n'a pas le droit de faire ça!

François se lève et fait quelques pas dans la direction de Philippe, dont la voix porte dans l'ensemble des locaux.

— Philippe, calme-toi, de quoi tu parles?

— Tu sais très bien de quoi je parle! Ça fait plus d'un mois que je travaille pour avoir ce rendez-vous avec Maury, c'est mon client, pas le sien!

— T'étais pas là.

— J'étais en rendez-vous extérieur, avec un client!

— Et t'as vendu? Tu me ramènes un bon de commande?

— Non!

François hausse lentement les épaules.

— C'est dégueulasse! *Je* fais tout le sale boulot, et c'est *lui* qui récolte les lauriers!

— Maury est un très gros poisson. On pouvait pas se permettre de rater cette vente.

– Mais qui te dit que je l'aurais ratée?

– Rien, mais Stéphane vend, lui.

Philippe fixe François en silence. Puis, entre ses dents :

– Connard…

– Comment?

– Connard!

François se rassoit calmement derrière son bureau. Les deux hommes se dévisagent.

– Je te traînerai aux prud'hommes.

– Ah oui, et sur quels critères? Maury n'appartient à aucun des secteurs sur lesquels nous travaillons, tu ne peux donc rien revendiquer.

– J'étais son premier interlocuteur.

– Qu'est-ce que tu veux, Stéphane aura été plus rapide que toi. C'est la loi du marché et de la concurrence.

– C'est ce qu'on verra…

– Mais c'est tout vu, Philippe. Ton CDD s'arrête à la fin de la semaine prochaine. Il te reste dix jours pour atteindre tes objectifs de vente du mois, sinon…

Il lève la main et fait « au revoir ».

– Et légalement…

Philippe reste un moment là, enfoncé dans la moquette.

– Je ne te laisserai pas ce plaisir : c'est moi qui pars.

François ouvre un dossier en sifflotant et fait comme s'il n'existait déjà plus. Après une moue de dépit et de dégoût, Philippe le toise du regard et sort.

Il va jusqu'à son bureau, rassemble ses affaires et laisse sa démission. Les autres échangent des regards silencieux. Personne ne dit mot.

POINT MORT

Heure de pointe. Le métro arrive sur un quai bondé. Les portes s'ouvrent. S'ensuit une bousculade absurde, où ceux qui montent s'engouffrent en repoussant à l'intérieur ceux qui descendent. Soupirs exaspérés, coups d'épaules, bougonnements agacés, pieds écrasés, injures maugréées entre ses dents. Au sol, des marques jaunes et des flèches sont dessinées pour que l'échange des voyageurs se passe dans le calme et la logique des vases communicants. Sans effet sur l'instinct grégaire.

Philippe sort de la rame et se laisse dériver jusqu'à la surface dans le flot anonyme de la foule.

Dehors, l'air est tiède. La lumière, douce. En quittant son bureau et son emploi avec pertes et fracas, il a également laissé derrière lui sa voiture de fonction, la seule jusqu'alors en sa possession.

Il marche. Longtemps. Tout autour, les jupes raccourcissent, les décolletés s'échancrent, les pulls sont retirés et négligemment jetés sur les épaules ou noués autour de la taille. Un parfum d'insouciance court dans les rues et sur les trottoirs peuplés de passants flâneurs, une insouciance semblable au minimalisme vestimentaire grandissant. Il n'a plus de permis de conduire. Le téléphone portable au volant et la ceinture de sécurité lui ont coûté tous les points qui lui restaient. Il est désormais un VRP au chômage privé de son outil de travail. C'est une belle fin de journée, la première où l'été se fait sentir sous les résidus de fraîcheur du printemps.

Au coin d'une rue, il plonge dans une bouche de métro. Sans consulter le plan du réseau souterrain, il prend la direction de la gare Saint-Lazare.

L'heure de pointe est passée. Si les rames se succèdent à un rythme plus espacé, elles ne sont plus prises d'assaut par une foule à l'humeur instable. Des strapontins restent libres. Ainsi que des sièges dans les carrés assis. Les voyageurs sont plus calmes. Les visages, moins tendus, moins crispés, juste lisses et fermés comme des masques de cire. Ils rentrent chez eux, sortent retrouver des amis pour aller au cinéma, au théâtre, dîner ou boire un verre. Ils lisent le journal ou un livre, écoutent de la musique ou promènent autour d'eux un regard tourné vers leurs pensées.

Philippe a trois changements avant d'arriver à la jonction ferroviaire d'où il bifurquera hors de la capitale. Pendant son trajet, des sans-abri, tous âges et toutes origines confondus, montent de temps en temps dans son wagon. Parfois à seulement quelques stations d'intervalle. Les plus propres vendent des journaux, chantent ou jouent de la musique. Seuls ou à deux, ces derniers traînent quelquefois avec eux un ampli sur roulettes et produisent plus un magma de sons forts et désagréables qu'une véritable mélodie. Certains ont un numéro très calibré, taillé sur mesure pour la ligne sur laquelle ils officient. Quatre ou cinq stations et deux ou trois morceaux plus tard, ils changent de voiture. D'autres n'ont pas la maîtrise d'un instrument ou n'ont déjà simplement plus la force d'essayer de se distinguer de leurs congénères en charité. Le discours décline la même litanie de la misère : fin de droits, enfants à charge, invalidité, rester propre, dormir au chaud, manger, survivre. Souvent, la voix fatiguée et brisée ne parvient pas à s'élever au-dessus des crissements métalliques stridents des roues sur les rails et se dissout dans l'indifférence générale. D'autres, enfin, ont définitivement franchi le point de non-retour. Gueules burinées de bitume, grêlées rouge vin, mains calleuses et striées de crasse, élocution gluante, borborygmes verbaux incohérents, odeurs de sueur acide et de pieds fermentés qui agacent et imprègnent fortement l'air, encore après leur passage. Dans tous les cas, les réactions sont les mêmes : les regards se dérobent, fuient, plongent dans un livre ou un journal resté fermé jusque-là, le grésillement des baladeurs monte en régime, des demi-sourires crispés et embarrassés déforment les visages comme pour barricader une porte ou parer un coup de poing. Les plus tolérants et les moins exaspérés changent de wagon, soit avant de monter, lorsqu'ils identifient suffisamment vite le danger depuis le quai, soit à la station suivante si l'importun s'assoit ici ou là comme le parasite s'incruste sous la peau.

Ils sont plus nombreux dans les gares, comme à Saint-Lazare, où descend Philippe. Plus de monde, donc plus d'opportunités, ou en tout cas l'espoir de leur multitude. Plus nombreux, ils sont aussi plus invisibles. D'autant que les yeux, rivés sur les montres et les panneaux d'affichage des horaires, glissent sur eux au rythme angoissé de ces pas aveugles et perdus qui courent toujours après un rendez-vous, un taxi, une correspondance ou un train.

Philippe a juste le temps de prendre un billet et de sauter *in extremis* dans celui en partance pour son ancienne banlieue de résidence. Il regarde les façades des immeubles, criblées de tags comme autant de cris muets. Le train bringuebale au gré des aiguillages avant de prendre sa cadence de combat et de laisser la ville derrière lui.

Il était autrefois

La rue n'est pas complètement déserte. Les ombres de deux enfants jouent au foot sur une pelouse. Celle d'un homme sort les poubelles en fumant une cigarette. Un chien traverse la route. Il fait presque nuit, l'air est doux.

Des fenêtres entrouvertes s'enfuient les bruits de ces vies qui se frôlent tous les jours sans se rencontrer. Ils s'échappent en spirales désordonnées, tourbillonnent un instant au-dessus du bitume et montent dans le ciel se mêler à la rumeur lointaine et étranglée de la ville. Là, des bribes de conversations se désagrègent dans le crépuscule. En face, une machine à laver la vaisselle bourdonne. Plus haut et plus bas, une parole d'amour susurrée dans une oreille attendrie, une insulte jetée comme une grenade à la face de son compagnon ou juste murmurée, comme une prière libératrice.

Philippe observe autour de lui. Rien n'a changé et pourtant tout est tellement différent. Les fenêtres de la maison où il vivait encore deux semaines auparavant viennent de s'allumer. Il est 21 heures. Sandrine ne va pas tarder à coucher Claire.

Il tire son téléphone portable de sa veste et appelle. Après trois sonneries, Sandrine répond.

– Allô ?

– C'est moi…

– …

– Ça va ? Bien rentrée ?

– Je te passe Claire.

Philippe lève les yeux vers les fenêtres éclairées de la chambre de sa fille. Bruits de talons qui martèlent le sol, puis la voix lointaine de celle qui tient le combiné du bout des doigts, comme pour ne pas se salir :

– Ton père.

– Papa !

– Pas longtemps, tu as école demain.

– Oui maman…

Une petite main se pose sur l'appareil tandis que les talons de Sandrine s'éloignent.

– Allô papa ?

– Ma princesse ! Comment va ma princesse à moi ?

– Tu me racontes une histoire ?

Avec plus de détails que d'habitude, Philippe lui raconte sa préférée. À la fin, un silence grésille dans le téléphone.

– Ma princesse, tu es toujours là ?

– Papa ?

– Oui ?

– C'est vrai que tu reviendras jamais à la maison ?

– Je… Qui t'a dit ça ?

– Bon Papa et Bonne Maman…

Philippe se mord la lèvre inférieure et fait quelques pas sur l'asphalte.

– Papa ?

– Oui, ma princesse, je suis là…

– C'est vrai ou pas?

La voix de Claire chevrote presque imperceptiblement. Celle de Philippe également.

– Ce qui est vrai, c'est que je viendrai toujours te voir. D'accord?

Claire ne répond pas, mais Philippe entend qu'elle fait « oui » de la tête.

– Et toi aussi tu viendras me voir, j'espère… Dès que papa aura trouvé un appartement… Hein, d'accord?

Même silence et même grésillement affirmatif.

– Bon, ma princesse, faut que j'y aille… Tu me repasses maman deux secondes?

– Papa?

– Oui, ma princesse?

– Tu seras toujours mon prince des Étoiles…

Philippe ferme les yeux, inspire et expire profondément.

– Je t'aime ma princesse…

Les pas de Claire, qui traverse un couloir. Puis la voix lasse et détachée de Sandrine :

– Qu'est-ce que tu lui as encore raconté?

– Qu'est-ce que tes parents lui ont dit, surtout? Ils pouvaient pas fermer leurs gueules!

– Écoute…

– Non mais ça va pas bien dans vos têtes ou quoi?

– Oh ça va bien, toi aussi.

– Quoi?

– Claire est bientôt à l'âge de raison. Elle peut donc tout entendre. Non, tu crois pas?

– Mais vous êtes des monstres… Toi et tes parents…

– Tu me fatigues.

Chglung, elle raccroche.

Philippe rappelle immédiatement. Occupé. Il réessaie. Occupé. Il appelle sur le portable de Sandrine. Messagerie.

– Putain !

Philippe va et vient d'un pas crispé sur le trottoir, s'avance avec détermination vers son ancienne maison avant de s'immobiliser, d'allumer une cigarette et de se passer nerveusement la main dans les cheveux en recrachant longuement la fumée.

Il regarde en direction des fenêtres de la chambre de sa fille. Les lumières s'éteignent.

À peine quelques secondes plus tard, les lampadaires de la rue s'illuminent.

ÉTAT PÉRIPHÉRIQUE

PENDANT UNE SEMAINE, il ne quitte pratiquement pas sa chambre d'hôtel. Il a payé dix jours d'avance. À part pour se ravitailler en victuailles, il reste au lit, à zapper, dormir, manger, zapper, dormir, manger, zapper. Dormir.

Un soir, sa mère téléphone : « C'était maman... juste pour venir aux nouvelles. » Un autre, c'est au tour de Jérôme, pour lui proposer de se voir le week-end prochain. Il ne leur répond pas, écoute les messages et les efface sans les rappeler.

Dans la pièce, s'entassent des restes froids et durcis, des boîtes de hamburgers broyées, des cartons de pizzas inachevées, des poches de chips entamées, des cannettes de Coca et de bière, terminées ou à moitié vides, des paquets de cigarettes froissés et des mégots écrasés çà et là dans les emballages. Il ne trouve le sommeil que tard dans la nuit ou tôt le matin, se lève le plus souvent en début d'après-midi, empêchant le personnel d'entretien de venir faire sa chambre.

Le vendredi, Sandrine appelle. Philippe ne répond pas. Elle lui laisse un message.

— Juste pour te dire que tu as reçu ta facture de portable et l'invalidation de ton permis de conduire. Enfin, c'est plus mon

61

problème. Fais rapidement un suivi de courrier et dis-moi où t'envoyer tout ça.

Philippe continue de zapper. Le lendemain soir, nouveau coup de fil. Il laisse sonner jusqu'à ce que s'enclenche la messagerie.

– Encore moi, pour ton courrier.

Philippe monte le son de la télévision. Jusqu'à 4 heures du matin, il zappe entre les émissions de télé-réalité, les débats politiques tard dans la soirée et les rediffusions de la nuit, avant de sombrer dans le sommeil.

LES ÉPIGONES DE KAFKA

L UNDI, FIN DE MATINÉE. Rasé, lavé et habillé, Philippe entre dans l'ANPE de son ancienne commune de résidence. Une bonne quinzaine de personnes sont assises dans des sièges en plastique, avec à la main un petit papier où figure un numéro. Face à eux, derrière un pupitre, une femme est perchée sur une sorte de tabouret. Elle est en train de lire un magazine féminin. Au-dessus d'elle, légèrement en retrait, un compteur numérique égrène les numéros au fil des appels. Et, au-delà, une salle avec des box, séparés les uns des autres par des cloisons en plexiglas.

Philippe s'approche d'elle.

– Bonjour…

La femme lève un œil, interrogateur et contrarié, d'une double page consacrée à la liaison d'un acteur célèbre avec une chanteuse tout juste sortie d'un jeu de télé-réalité.

– Je voudrais voir un conseiller, c'est possible ?

– Prenez un numéro à la borne.

– Là ?

Pour toute réponse, elle se replonge directement dans sa lecture.

– Merci.

Philippe tire un papier portant le numéro 74. Il fixe l'écran digital : 53.

Tous les sièges sont pris. Philippe attend le numéro suivant pour s'asseoir à la place ainsi libérée. Il regarde autour de lui. Tous ceux qui sont là ont un dossier à la main ou posé sur leurs genoux.

De quart d'heure en quart d'heure, des hommes et des femmes sortent de la salle derrière la femme au pupitre. Aucun autre n'y entre. Le rythme auquel défilent les numéros diminue. Philippe scrute sa montre : midi approche.

Enfin, le 74 s'inscrit sur l'écran. À droite, un « H » indique le guichet correspondant. Philippe se lève et s'y dirige.

Sans lever les yeux de son ordinateur, un conseiller lui fait signe de prendre place. Sur son bureau trône un petit écriteau où est écrit « Jean-Pierre Trédebeine ». Philippe s'assoit.

— C'est pour une inscription ?

— Oui.

Le conseiller tend sa main droite vers lui.

— Votre notification Assedic ?

— Ma quoi ?

— Votre notification Assedic, pour créer votre dossier…

— Mais… je ne l'ai pas !

— Comment ça ?

— Ben…

Les deux hommes se regardent.

— Vous êtes bien passé aux Assedic avant de venir ici ?

— Non…

— Ah…

— …

– …

– Je…

– Il faut d'abord que vous vous rendiez à votre centre Assedic pour qu'ils étudient vos droits. Vous recevrez ensuite une notification de leur part et, à ce moment-là, vous reviendrez nous voir avec ce document.

Philippe reste un instant interdit.

– Je savais pas. C'est la première fois que je me retrouve au chômage…

Il sourit mécaniquement, remercie son interlocuteur et se lève. Avant de tourner les talons :

– Vous pourriez me donner l'adresse?

– Ça dépend : où habitez-vous?

Philippe donne les coordonnées de son ancienne vie et récupère celles dont il a besoin.

Trois bus et quarante minutes plus tard, il est devant le bâtiment du centre Assedic dont il dépend.

Il est 13 h 15, la pause déjeuner bat son plein. Le scénario et le cadre sont les mêmes que précédemment : prendre un ticket et attendre que son numéro s'affiche sur un petit écran placé au-dessus d'un passage sans porte ouvrant sur une salle divisée en box vitrés. À cette heure-là, il y a peu de monde des deux côtés de la barrière. Les proportions et les délais d'attente ne sont donc guère différents qu'aux heures de pointe, lorsque tout le personnel reçoit sans discontinuer le torrent de ses administrés.

Trois quarts d'heure plus tard, le numéro de Philippe s'affiche. Cette fois, c'est une jeune femme de son âge qui le reçoit. Elle est famélique, comme rongée de l'intérieur par son impuissance bureaucratique. Après le « Bonjour, asseyez-vous » d'usage, Philippe sort ses dernières fiches de paie.

— Vous avez votre lettre de licenciement?

— C'est moi qui suis parti.

— Pour quelles raisons?

— Incompatibilité d'humeur, on va dire.

— Ah... C'est idiot...

— Pourquoi?

— Parce que du coup vous n'avez droit à rien...

— Comment ça, j'ai droit à rien?

— Quitter volontairement son emploi ne donne pas droit aux allocations chômage. Toutefois, dans certains cas, les départs volontaires sont considérés comme légitimes. Après une rupture de contrat négociée pour des motifs non économiques, par exemple, ou encore parce que votre conjoint déménage pour un nouvel emploi. Mais ce n'est pas le cas?

— Non.

— Alors...

— ...

— C'est vraiment idiot. Votre CDD allait prendre fin. Il aurait suffi que vous ne soyez pas reconduit, et...

— ...

— Voilà...

— Et... il n'y a vraiment rien à faire?

La jeune femme lève les yeux et laisse son regard fouiller les jonctions des carrés du plafond.

— Vous avez quand même deux possibilités, reprend-elle après quelques secondes de réflexion. Dans quatre mois, sur votre demande, l'Assedic pourra vous verser des allocations chômage, à condition que vous ayez cherché activement un emploi pendant cette période et que vous nous en apportiez la preuve. Sinon, dans trois mois, vous pourrez également faire une demande de RMI auprès de votre CAF. D'ailleurs, je vais vous faire votre notification de rejet Assedic tout de suite. Vous en aurez besoin pour votre inscription à l'ANPE et pour votre éventuelle demande de RMI.

La jeune femme s'exécute et lui donne le document. Après l'avoir récupéré, Philippe se lève et se dirige vers la porte.

– Bonne chance…

Philippe se retourne vers elle, lui répond par un sourire mécanique et sort. Un nouveau numéro s'inscrit sur l'écran digital de la salle d'accueil.

MERCI DE NE PLUS DÉRANGER

Pour la deuxième fois de la journée, Philippe sort de l'ANPE dont il dépend. Il est un peu plus de 17 heures. Presque deux heures et demie d'attente infructueuse. Au préalable, il aurait en effet dû téléphoner pour prendre rendez-vous avec un conseiller. Il aurait été fixé à quelques jours d'intervalle, une semaine au plus tard. Par exemple, entre 8 heures et midi, ou encore entre 14 et 17 heures, en fonction, cela s'entend, des jours et des heures plus ou moins ouvrables – les services ferment à 12 h 30 le mercredi, jour des enfants, et à 14 h 30 le vendredi, sans interruption entre midi et deux, préweek-end oblige. Bien évidemment, la femme au pupitre n'a pas jugé bon de lui demander s'il avait effectivement rendez-vous. Bien évidemment, il avait beau être là, face à un agent autre que celui auquel il avait eu affaire le matin, celui-ci ne pouvait rien pour lui. « La procédure est stricte sur ce point », lui a-t-il répété plusieurs fois. De toutes les façons, avant cela, il aurait dû attendre de recevoir une convocation écrite à l'issue de son appel téléphonique. La question de son adresse s'est alors posée à nouveau avec une acuité tranchante et impérative, puisqu'il lui fallait résoudre ce problème avant de penser à entamer toute autre démarche.

Il est donc un peu plus de 17 heures quand Philippe sort de l'ANPE. Il court, mais le temps de se rendre à la poste la plus proche pour voir comment et où faire suivre son courrier, il trouve portes closes.

De retour à son hôtel, il demande sa clef au jeune homme de la réception. Celui-ci pianote sur son ordinateur, puis, avec un sourire embarrassé, s'excuse et s'éclipse par une porte derrière le comptoir. Au bout de quelques minutes, il revient avec un sac-poubelle et une valise en tout point identique à celle de Philippe. Il est accompagné de deux agents de sécurité et d'un homme d'une quarantaine d'années, aux mâchoires carrées et aux tempes grisonnantes.

— Monsieur Lafosse? lui demande ce dernier avec un sourire purement formel et circonstanciel.

— Oui. Un problème?

— Je suis au regret de vous demander de quitter notre établissement.

— Je comprends pas.

— Nous ne pouvons pas tolérer un comportement comme le vôtre vis-à-vis de notre clientèle.

— Je… Encore une fois, je ne comprends pas de quoi vous voulez parler.

— Plusieurs de nos clients se sont plaints du volume et de l'heure tardive auxquels vous regardez la télévision.

— Vous plaisantez, là?

— Pas du tout.

— Attendez, vous êtes un hôtel, non, pas une caserne avec un couvre-feu!

— Et je ne vous parle pas de l'état dans lequel nos équipes d'entretien ont trouvé votre chambre…

Philippe va rétorquer quelque chose, mais l'homme aux mâchoires carrées ne lui en laisse pas le temps.

– Monsieur Lafosse, ne m'obligez pas à employer des moyens désagréables.

Il jette un coup d'œil en coin aux deux agents de sécurité, qui font alors un pas en avant en bombant le torse.

– Je vous ai payé dix jours d'avance, vous ne pouvez pas me traiter comme ça!

– Voici l'argent des nuits que vous ne passerez pas ici.

Il laisse la somme due en liquide sur le comptoir tandis que le réceptionniste dépose la valise et le sac-poubelle au pied de Philippe. Celui-ci dévisage tour à tour les quatre hommes, prend l'argent, ses affaires, et commence à se diriger vers la sortie de l'hôtel. Les deux agents de sécurité lui emboîtent le pas. Philippe s'immobilise et leur fait face.

– Ça va, ça va…

Les deux cerbères du lieu interrogent du regard l'homme à la mâchoire carrée.

Philippe se retourne et reprend sa marche dans le silence. Lorsque les portes automatiques s'ouvrent sur son passage, le ronronnement étranglé du périphérique envahit subrepticement le hall.

QUARTIER DE GARES

S ES AFFAIRES À LA MAIN, Philipe fait le tour des hôtels de la zone périphérique. Tous affichent « complet », ou prétendent l'être. Dans un périmètre aussi restreint, les gérants des différents établissements se connaissent. Un coup de fil ricoche vite de l'un à l'autre avec des échos en cercles concentriques.

Peu après 20 heures, Philippe monte dans un train de banlieue en direction de la capitale. Certains passagers le regardent bizarrement. Même s'ils s'en défendent en se retranchant derrière leur habituelle indifférence de façade, leurs yeux s'attardent une fraction de seconde de trop sur son sac-poubelle avant d'aller s'éteindre dans le vide d'une vitre ou le faux-fuyant du paysage. Lorsqu'il s'assoit à côté de l'un d'eux, celui-ci esquisse le mouvement de se lever, mais constatant que Philippe est propre sur lui et qu'aucune odeur nauséabonde n'émane de son corps, il se ravise, dissimulant son geste avorté derrière les simagrées de celui qui s'est trompé d'arrêt.

Arrivé à la gare Saint-Lazare, Philippe cherche une chambre dans les hôtels du quartier. Là aussi, son sac-poubelle n'est pas du meilleur effet sur celles et ceux auxquels il s'adresse : aucune chambre disponible. Puis, au hasard d'une petite rue adjacente, il trouve enfin un établissement où il reste de la place. Pour détendre les sourcils légèrement froncés et le scepticisme que son entrée et sa demande impriment tout d'abord sur le front du tenancier, un homme d'une cinquantaine d'années au physique sec, Philippe propose de payer plusieurs nuits d'avance.

– Tenez, lui dit l'homme, la 69… Joli chiffre, non?

Il rit.

– Merci.

Philippe va s'emparer de la clef, mais le tenancier se ravise.

– Vous aviez pas parlé de payer d'avance?

– Combien?

– Soixante euros.

Philippe sort son portefeuille.

– Pour une nuit, précise l'homme.

– J'avais compris. Vous prenez la carte bleue?

– Vous auriez pas plutôt des espèces? Hein, des fois que…

– Pas pour trois nuits d'avance, désolé.

– Vous avez combien?

– J'ai… quarante euros.

– Ah… pas même une nuit…

– …

– …

– …

– Y a un distributeur au bout de la rue, à droite. Pouvez y aller, je garde vos affaires.

Philippe hésite. Les petits yeux caves du tenancier le scrutent en oscillant sur eux-mêmes avec une mobilité incessante. Philippe lui donne ses affaires et se dirige vers la sortie.

– À droite, lui répète l'homme avec un rictus satisfait.

Au retour de Philippe, il est au beau milieu d'une discussion agitée avec une femme lourdement fardée et vêtue court, une cannette de Cherry Coke à la main.

– Je te préviens, Tina, si je retrouve encore une seule de tes merdes…

– C'est bon je te dis, raboule la putain d'clef!

– Oh, elle me parle meilleure la Pretty Woman! Y a plus que moi qui veux bien de toi dans le quartier, alors tu baisses d'un ton, et vite!

– Ça va, avec la com' et les petits dédommagements que tu te prends…

Derrière elle, un homme d'une quarantaine d'années attend sans broncher. Son regard va et vient entre les murs, le plafond et ses chaussures. Apercevant Philippe, le tenancier se calme.

– Bon, allez, va pour cette fois. Mais t'as bien pigé ce que je t'ai dit?

– Ouais, ouais, t'inquiète, j'ai capté ton discours, c'est bon…

Elle prend sa clef et disparaît avec l'homme qui l'attendait. Philippe s'avance et paie le tenancier.

– Si c'est pas malheureux, tout de même. On leur rend service et elles salopent tout derrière elles. Tenez, la 69… Troisième étage, au bout du couloir. Les toilettes sont sur le palier, à l'autre bout.

– Merci.

Philippe récupère sa clef et ses affaires, et s'engage dans l'escalier exigu menant aux étages.

La chambre mesure autour de 12 m^2 et n'a pas le standing anonyme d'un Formule 1. Le papier peint, qui a dû être un jour mauve pâle avec des motifs de fleurs imprimés anciennement bleu marine, tapisse aujourd'hui la pièce d'un gris-jaune délavé et dégoulinant, moucheté de ronds violets et irréguliers. Le dessus-de-lit, les couvertures et le meuble servant de table de chevet affichent eux aussi des coloris flétris. Un petit cagibi avec un lavabo surplombé d'un néon fait office de salle de bains. Un savon usagé, un gant de toilette et une serviette rêches sont posés à même la faïence. Les murs et les fenêtres sont fins comme du papier à cigarette, atténuant à peine les bruits de la rue et des chambres voisines.

Philippe pose ses affaires, s'assoit sur le bord du lit et reste un long moment les yeux dans le vague. À l'époque où il faisait des tournées en province avec Jérôme, il rangeait ce type d'établissement dans la catégorie des « hôtels trois poils » ; ces étoiles négatives correspondant précisément au nombre de poils d'anciens occupants qu'ils pouvaient trouver dans la baignoire ou sur les draps, alors que la chambre avait été faite.

Philippe cligne des yeux, prend son portable et compose le numéro de Jérôme.

– Jérôme, salut, c'était Philippe… On est lundi soir… Tu as coupé ton portable, et tu as bien raison… Il est déjà tard et le petit doit dormir… Euh… Désolé de pas t'avoir rappelé, mais j'ai été vraiment débordé ces derniers temps… Si tu veux qu'on se voie le week-end prochain, je suis dispo… Même un soir dans la semaine, pour boire un verre, je suis plutôt cool dans les jours qui viennent… Ben… Voilà… J'espère que tu vas bien… que tout le monde va bien… Moi, ça va… J'ai quelques bonnes touches à droite à gauche, je te raconterai… Rappelle-moi pour me dire si tu veux qu'on se voie… si tu peux… Bises à Gaëlla et au petit Victor… C'était Philippe… Lundi soir…

Il raccroche et scrute l'écran de son téléphone. Il ouvre le menu de ses contacts et fait défiler les noms dont les numéros sont enregistrés. Il arrête le curseur sur celui nommé « home ». Il reste là, à le contempler, blanc surligné d'une barre horizontale noire, jusqu'à ce que l'écran se mette en veille. Il pose son portable sur le lit. Il reste immobile, la tête baissée et le regard effondré dans le gris poussiéreux de la moquette.

Il pleure.

POSTE RESTANTE

L E LENDEMAIN, Philippe se réveille avec le jour. Après les cris, les insultes, les râles, les va-et-vient incessants dans les couloirs et les chambres, le calme règne enfin dans l'hôtel.

Il se lève, ouvre les fenêtres. Le quartier aussi est paisible, en comparaison du vacarme de la nuit. L'air est frais, suffisamment pour hérisser une légère chair de poule sur ses avant-bras.

Il respire longuement la tranquillité de ce matin naissant. Il regarde le bout de ciel étroit découpé par les toits et les immeubles de la rue. La pâleur de l'aube achève de gommer les derniers résidus de l'obscurité scintillante ; instant où le prince des Étoiles et la princesse de l'Aurore peuvent s'entrapercevoir.

Lorsque le bleu commence à se durcir d'une manière définitive, Philippe revient à l'intérieur de la chambre, prend une feuille et un stylo dans sa sacoche, s'assoit sur le lit et note ce qu'il doit faire en priorité aujourd'hui : « Poste, lavomatique, jobs. » Il entoure plusieurs fois le mot « poste » et va ensuite dans le cagibi-salle de bains. Il se lave du mieux qu'il peut dans le lavabo, debout, avec le savon, et se sèche avec le gant et la serviette rigides comme du carton.

Une fois habillé, il descend avec le sac-poubelle contenant ses affaires sales. À la réception, une jeune Hindoue d'une vingtaine d'années a remplacé l'homme de la veille. Philippe lui tend sa clef.

– Bonjour...

Elle lui répond par un salut de la tête et un sourire.

– Excusez-moi, vous savez où je pourrais trouver une laverie automatique et une poste, s'il vous plaît ?

– La laverie, gauche en sortant, et deuxième droite. Déjà ouverte maintenant. La poste, revenir ici, droite et première gauche.

– Merci.

– Pas de quoi.

Pendant que son linge tourne, Philippe prend un petit déjeuner au bar d'en face et écoute les conversations du comptoir, où cohabitent café-croissant et petit blanc, costume cravate et bleu de travail, noisette et demi : la crise, la hausse des prix, la politique, les fonctionnaires, le foot, les femmes, les hommes, les femmes et les hommes, l'immigration, la mondialisation, le chômage, tout y passe entre une boutade ou une invective.

Une heure plus tard, alors que Philippe plie ses affaires brûlantes au sortir du séchoir, un homme d'une quarantaine d'années, au visage rouge et buriné, entre dans le lavomatique et, avec lui, une odeur âcre, légère mais insistante, de sueur, de pieds sales et d'aisselles macérées. Sans un mot ni un regard pour Philippe, il enfourne dans une machine des vêtements tirés d'un sac en toile cirée jaune, râpé d'avoir trop traîné sur le bitume. Quand il a fini, il se dirige vers le compteur où l'on introduit les pièces et sélectionne le programme de lavage. Il passe un doigt bruyant dans le réceptacle du rendu de monnaie, grogne et cogne le cube métallique de n'y rien trouver avant de commencer à fouiller ses poches pour en extraire sa richesse trébuchante.

– T'as pas un euro?

Philippe relève la tête vers lui, le rejoint et lui donne ce qu'il demande.

– T'as pas une clope aussi?

Philippe sort son paquet et lui en donne une. L'homme la glisse sur son oreille droite.

– Une autre?

Philippe lui en donne deux de plus et s'en retourne à son linge. L'homme lance sa machine et s'allonge sur l'un des bancs réservés aux clients.

– Ces salauds, ils mettent des sièges dans le métro, on peut plus s'allonger!

Il ferme les yeux et s'endort presque instantanément. Philippe finit de plier sommairement ses deux derniers tee-shirts et s'en va.

La rue est plus agitée, la circulation, plus dense. Les passants se bousculent sur les trottoirs comme les deux-roues slaloment au milieu des embouteillages et des hurlements des klaxons.

Philippe dépose rapidement ses affaires dans sa chambre et se rend à la poste. Après une demi-heure de queue, avec de nouveau tickets et numéros qui s'égrènent sur un écran digital au rythme des pauses café ou cigarette, et après exposition et examen de sa situation, on lui explique que la solution la plus simple, et la seule, consiste à utiliser le service gratuit dont bénéficient nombre de SDF. Pour cela, il lui suffit de donner comme adresse celle de ce bureau de poste ou d'un autre, et d'y faire suivre ou envoyer son courrier habituel, avec, sur l'enveloppe, son nom et la mention « poste restante ».

– Je dois remplir quelque chose? Un formulaire ou…?

– Non, rien. Vous devez juste fournir à vos correspondants l'adresse du bureau de poste que vous aurez choisi, à laquelle ils pourront vous écrire, en précisant bien sur l'enveloppe les éléments que je vous ai indiqués.

– Et si jamais je change de ville ou de quartier?

– Vous faites la même chose : vous donnez l'adresse de votre nouveau bureau de poste à vos correspondants.

– Bon... Eh bien, merci.

Philippe sort. Un autre numéro est appelé au guichet.

Dehors, la matinée agonise déjà dans le haut du ciel.

CAFÉ-VERRE D'EAU

L'APRÈS-MIDI, Philippe est installé au fond d'un café équipé du Wi-Fi. Avec son ordinateur portable, il surfe sur différents sites d'offres d'emploi. Tandis qu'il répond à certaines avec son CV en pièce jointe, l'icône lui indiquant qu'il a un nouveau message se met à clignoter. Il ouvre sa boîte de réception et découvre la réponse de Sandrine.

Quelques heures auparavant, il lui avait écrit :

De : Philippe Lafosse <philippe.lafosse@yahoo.fr>
À : Sandrine Moncin <sandrine.moncin@gmail.fr>
Le : 27 mai 2008 13 :17 :23
Objet : nouvelle adresse
Pour mon courrier :
Philippe Lafosse
Poste restante
La Poste Paris Saint-Lazare
15, rue d'Amsterdam
75009 Paris
J'espère que tout va bien.
Embrasse ma princesse pour moi.
Merci.
Ph

Et maintenant, Sandrine lui répond :

De : Sandrine Moncin <sandrine.moncin@gmail.fr>
À : Philippe Lafosse <philippe.lafosse@yahoo.fr>
Le : 27 mai 2008 15 :31 :42
Objet : Re : nouvelle adresse
Rappel : pension alimentaire prélevée sur ton compte
à partir du 5 du mois prochain.

Philippe relit plusieurs fois la réponse de Sandrine en se passant nerveusement la main sur le visage et dans les cheveux.

– Autre chose ?

Philippe sursaute et relève la tête vers le serveur.

– Euh… Non, merci.

– Faudrait quand même voir à recommander ou à laisser la place à des clients qui consomment. Je suis pas loueur de chaises à la journée.

– Alors… la même chose ?

Le serveur souffle, débarrasse la tasse coagulée, le verre vide et s'éloigne vers d'autres tables.

Philippe se replonge dans le message de Sandrine. Il clique sur la fenêtre de son navigateur Internet, se connecte au site de sa banque et consulte son compte. Il scrute un long moment l'écran, avant de laisser errer son regard dans la salle au-delà. Puis il revient à son ordinateur et, comme s'il répondait silencieusement à ses propres pensées, des moues et des coups d'œil approbateurs, dubitatifs, désapprobateurs ou abattus traversent successivement son visage.

– Et un café-verre d'eau, un !

Le serveur pose la tasse avec une négligence brutale. Une partie du café dégouline sur les parois et vient stagner dans la soucoupe. Sans regarder Philippe ni lui parler directement, il balance l'addition et plaque le verre dessus.

— Si ça vous dérange pas de me régler, je finis mon service dans cinq minutes.

Il repart vers le bar.

Philippe fixe tour à tour son café à moitié renversé et le rond d'humidité que le verre d'eau dessine sur le ticket de caisse. Il pousse un soupir de dépit, rabat l'écran de son ordinateur, rassemble ses affaires, se lève et sort du café sans payer ni consommer sa deuxième commande.

Dans son dos, il entend le serveur maugréer :

— Abruti !

Philippe remonte le boulevard sans se retourner.

MARCHANDS DE SOMMEIL

APRÈS UNE LONGUE MARCHE sans but, Philippe rentre à son hôtel. De ses déambulations, il ramène avec lui des magazines gratuits d'annonces immobilières. Il les dépose sur le comptoir et demande sa clef au tenancier.

– La 69?

Alors qu'il va monter dans sa chambre, l'homme l'interpelle :

– Vous cherchez un appartement?

Philippe se retourne vers lui.

– Quelque chose à louer en tout cas. Pourquoi?

– J'ai peut-être un truc qui pourrait vous intéresser. Vous avez cinq minutes?

Philippe va répondre, mais son portable sonne. Sur l'écran, s'affiche le prénom « Jérôme ».

– Excusez-moi.

Il s'écarte de quelques pas et décroche.

– Oui!

– Désolé de pas t'avoir rappelé avant, mais les dix jours qui arrivent s'annoncent chauds de chez chauds!

– Ah… ça va être dur de se croiser, donc.

– Pour le week-end prochain, c'est clair, je serai en séminaire en province. Mais celui d'après, pas de problème!

– Alors génial.

– Bon, je te note pour le week-end du 7 juin.

– Déjà…

– Eh ouais, c'est fou ce que ça passe, pas vrai? Bon, comment ça va sinon? T'avais une petite voix au téléphone hier soir…

Le tenancier surgit devant Philippe et lui fait signe qu'il revient. Philippe acquiesce et l'homme disparaît dans la petite pièce derrière le comptoir.

– La fatigue, rien de grave.

– T'es sûr?

– Ouais, ouais, t'inquiète pas.

Une sonnerie de téléphone retentit derrière Jérôme.

– Bon mon Philou, faut que je te laisse.

– Ok.

– On se rappelle d'ici le 7.

Jérôme raccroche. Un gros trousseau de clefs à la main, le tenancier est de retour avec la jeune Hindoue de ce matin, qui prend sa place derrière le comptoir.

– On y va?

Quelques rues plus loin, ils entrent dans un immeuble. Après six étages sans ascenseur dans une cage d'escalier aux murs défraîchis et aux marches irrégulières, ils empruntent une petite porte dérobée au fond du palier et gravissent un nouvel escalier, très étroit. Ils arrivent alors au septième étage, dans un couloir bas de plafond, long et sinueux, percé d'une multitude de petites portes, d'où s'échappent des odeurs de cuisine de toutes sortes, des pleurs d'enfants et des lambeaux de conversations en langues étrangères.

Devant certaines d'entre elles, sont déposés des réchauds à gaz, des sacs plastique remplis de détritus alimentaires, ou encore des chaussures empilées les unes sur les autres.

Ils s'arrêtent devant une porte. Le tenancier sort son trousseau.

– C'est pas Versailles, mais ce qui compte c'est d'avoir un toit, pas vrai ?

Ils entrent dans une pièce mansardée, qui est à peu de chose près l'exacte réplique de la chambre d'hôtel. Mêmes dimensions, mais avec moins de volume, des murs en pierre, usés et vérolés. Même confort spartiate – lit en fer, matelas, draps, couvertures et traversin – mais avec un lavabo directement encastré dans un angle de la pièce et un miroir rectangulaire de la taille d'une feuille de papier accroché à un clou.

– Des toilettes ?

– Sur le palier. Vous voulez voir ?

– Pourquoi pas…

Au coin du couloir, une petite porte ouvre sur des toilettes à la turque.

– Et ce n'est pas tout…

Le tenancier abaisse un caillebotis relevé contre le mur et le cale au-dessus de la cuvette. Avec un air de triomphe, il désigne du doigt un pommeau descendant du plafond.

– La douche !

Ils reviennent dans la chambre. Philippe regarde par la fenêtre donnant sur la cour intérieure de l'immeuble.

– Combien ?

– Sept cents par mois, charges comprises.

Philippe acquiesce mécaniquement.

– C'est le prix du marché, vous savez.

Philippe fait quelques pas dans la pièce.

– Pas de bail, je suppose?

Le tenancier éclate de rire.

– Et pourquoi pas des paiements par virement bancaire pendant qu'on y est!

Philippe se fend d'un demi-sourire.

– Pas de caution non plus alors?

– C'est l'avantage. Ici, ajoute-t-il avec une main sur le cœur, on fonctionne à la parole donnée…

Philippe détaille une dernière fois l'endroit.

– Je vais réfléchir.

– Bien sûr, pas de problème! Mais faites vite quand même, genre demain ou après-demain, au plus tard. C'est que, y a beaucoup de demandes…

Ils sortent dans le couloir. Le tenancier referme la porte à clef.

– Au fait, vous comptez bien continuer à me régler à l'avance?

Philippe le regarde, interloqué.

– Je… Oui, si ça vous arrange…

– Alors ce serait bien de me régler vos trois prochaines demi-journées ce soir.

– Mais… je vous ai donné cent quatre-vingts euros hier soir!

– Justement

Philippe fronce les sourcils.

– Attendez, c'est bien soixante euros la nuit?

– Oui, *la nuit*.

— Comment ça, « la nuit » ?

— Eh bien, y a aussi la matinée et la journée. Avec vos affaires dans la chambre, je peux pas l'utiliser. Et chez moi, c'est pas l'Armée du Salut, faut que ça tourne!

Ils se dévisagent.

— Vous réfléchissez et vous me dites, tranche avec un sourire le tenancier en désignant la porte qu'il vient de refermer.

LE SOLEIL SE COUCHE AU SUD

L E LENDEMAIN, à l'issue d'une journée à arpenter les rues et les quartiers de la capitale avec sa valise et son ordinateur, Philippe trouve enfin, porte d'Orléans, un hôtel standard d'une grande chaîne où il reste des chambres, petit déjeuner compris, à quarante euros la nuit, avec des toilettes, une salle de bains, et même une télé.

Le soir, après une vraie douche, il zappe quelques minutes depuis son lit et sombre rapidement dans le sommeil.

Le matin, il se rend à la poste la plus proche et s'arrange avec le guichetier pour effectuer jusqu'à la fin du mois un suivi de poste restante à poste restante, le temps pour lui, selon l'expression du lieu, de « prévenir ses correspondants de ce nouveau changement d'adresse ».

En début d'après-midi, il trouve un café équipé du Wi-Fi où on le laisse rester sans le pousser à la consommation. On lui propose même de s'asseoir à une table proche d'une prise de courant pour brancher son ordinateur. Entre les offres d'emploi auxquelles il répond sur Internet, il envoie un mail lapidaire à Sandrine pour lui donner sa nouvelle adresse, la deuxième en deux jours.

```
De : Philippe Lafosse <philippe.lafosse@yahoo.fr>
À : Sandrine Moncin <sandrine.moncin@gmail.fr>
Le : 28 mai 2008 15 :28 :57
Objet : nouvelle nouvelle adresse
Philippe Lafosse
Poste restante
Poste Paris Porte d'Orléans
Place du 25 Août 1944
75014 Paris
```

La réponse est immédiate, et tout aussi lapidaire :

```
De : Sandrine Moncin <sandrine.moncin@gmail.fr>
À : Philippe Lafosse <philippe.lafosse@yahoo.fr>
Le : 28 mai 2008 15 :29 :32
Objet : Re : nouvelle nouvelle adresse
Ok.
```

Les dix jours le séparant du week-end où il doit voir Jérôme se fondent dans un rythme reposant, calme et régulier, presque routinier : petit déjeuner dans le hall de l'hôtel, passage à la poste pour récupérer le courrier éventuel – essentiellement des factures et le recommandé avec le formulaire 48SI invalidant son permis de conduire –, un café en terrasse ou à l'intérieur en fonction du temps pour lire le journal, un sandwich dans un square ou dans la galerie marchande pour le déjeuner, recherche d'emploi et relance des offres auxquelles il a déjà répondu, balade, dîner sur le pouce, cinéma ou télé le soir. S'il ne répond pas à sa mère lorsqu'elle lui téléphone pour prendre de ses nouvelles, il la rappelle pendant ses horaires de travail et lui laisse des messages rassurants.

Parallèlement, il réussit même à décrocher certains entretiens pour des postes de commercial. Commence alors la grande farandole des recruteurs, DRH et psychologues en tout genre avec leurs questions déstabilisantes et prétendument fines :

— Vous êtes plutôt peignoir ou serviette ?

— Chaussettes unies ou fantaisies ?

— Vous vous lavez avec ou sans gant de toilette ?

— « L'Île de la Tentation » ou « Derrick » ?

Sans oublier les innombrables questions et réactions en points de suspension qu'inspire son adresse estampillée « poste restante ». Et la conclusion, floue, indécise :

— On vous rappellera.

Pour se détendre, Philippe se rend de temps à autre dans le quartier Montparnasse et va à la Fnac de la rue de Rennes. Il n'achète rien, mais il serpente des heures entières dans les rayons, écoute des extraits des nouveaux CD, feuillette les meilleures ventes du moment, compare les multiples offres promotionnelles d'un monde où même la culture est à crédit : « Payer en 5 fois », « Payer en 10 fois », « 10 euros par mois pendant un an », etc.

Un après-midi, alors qu'il parcourt au hasard la table des matières d'un recueil illustré de contes populaires pour enfants, il ouvre des yeux gros comme des cratères devant ce titre : *Le Prince des Étoiles et la princesse de l'Aurore*. Il se reporte au chapitre correspondant et lit pour la première fois cette histoire tant réclamée et tant répétée dans des mots autres que les siens. L'édition est luxueuse, le livre, cher. Il le prend avec lui et va se greffer à l'une des multiples queues menant aux caisses. Toutes sont ouvertes, celles et ceux qui en assurent le bon fonctionnement abattent du client à une cadence industrielle, et pourtant il y a embouteillage. Même en milieu de semaine, se presse une foule comme pour un samedi pluvieux d'automne. Philippe regarde autour de lui. Rares sont ceux qui ont seulement un article en main. La plupart ont les bras chargés. Additionnés tous ensemble, ils achètent vraiment en masse. La femme qui le précède n'a pas moins de trois romans, quatre CD et deux DVD.

Lorsque arrive son tour, il tend son livre au caissier et va se placer devant la petite machine à carte bleue.

– Vous avez la carte Fnac?

Philippe hoche négativement la tête et le caissier tape rapidement sur son clavier. Le montant à payer apparaît sur l'écran de la machine.

– Si vous voulez bien introduire votre carte et faire votre code?

Philippe s'exécute. Quelques secondes se passent, s'étirent. Le caissier se penche sur l'appareil, retire la carte de Philippe et la frotte vigoureusement contre son pantalon.

– C'est rien, dit-il, ça arrive parfois qu'elles se démagnétisent.

Il redonne la carte à Philipe et lui demande de réitérer l'opération. Même résultat. À son tour, le caissier répète son geste pour tenter de rétablir les fonctions magnétiques de la carte de son client.

– Vous auriez une autre carte?

– Non…

Dans la queue, des têtes se penchent sur le côté pour voir à quoi est dû ce ralentissement inopiné. Certains jettent des coups d'œil agacés à leur montre, soupirent déjà d'exaspération.

— Tenez, si vous voulez bien recommencer ?

Philippe réessaie. Après quelques secondes, la caisse crépite et dévide enfin son précieux ticket.

— En vous remerciant.

Philippe récupère son achat, prend un paquet-cadeau à l'accueil et, malgré ce contretemps, arrive juste avant la fermeture à la poste la plus proche pour envoyer le livre à sa fille. Avant de le glisser dans l'enveloppe, il corne la page où commence cette histoire qu'il lui a racontée tant de fois, et, au-dessus du titre, écrit ces quelques mots : « Ton papa qui t'aime et qui pense à toi ».

Les démarches de Philippe restent lettres mortes. Il a beau se débattre comme un loup traqué, multiplier les candidatures spontanées ou relancer sans relâche les offres d'emploi auxquelles il a répondu les jours précédents, aucune réaction, même négative. Et quand il se présente pour des petits boulots de serveurs, même chez Quick ou McDo, on lui répond que tous les postes sont déjà pourvus ou qu'il est trop qualifié pour ce genre de travail.

Le lendemain de l'incident à la Fnac, Philippe tire de quoi payer sa chambre d'hôtel et assurer son rythme de vie quotidien jusqu'au week-end où il doit voir Jérôme.

La veille, celui-ci lui téléphone :

— On se voit toujours demain ?

— Je veux ! lui répond Philippe.

— On se fait un ciné en début d'après-midi ?

— Génial.

— Rendez-vous comme la dernière fois, vers une heure, et on choisit le film ?

— Parfait !

Le jour J, Philippe prend son petit déjeuner dans le hall de l'hôtel, passe à la poste où aucun courrier ne l'attend, boit un autre café en lisant le journal. Il règle les deux euros vingt sur son dernier billet de dix. Avec la monnaie qu'on lui rend et les pièces qu'il avait déjà, il lui reste quinze euros et treize centimes en poche.

Avant de retourner à son hôtel, il s'arrête pour retirer un peu d'argent à un distributeur automatique pour son après-midi cinéma. Il fait beau, la journée promet d'être ensoleillée, idéale pour un verre en terrasse après un bon film. Il introduit sa carte, compose son code, demande quarante euros et un ticket de la transaction. « Veuillez patienter, nous interrogeons votre banque » s'affiche sur l'écran. Philippe se passe la main dans les cheveux et regarde autour de lui. Plus loin, deux enfants jouent au foot. Il y a moins de monde qu'un matin de semaine. L'heure est à une certaine langueur, au temps pris un peu pour soi.

Soudain, le crépitement rassurant de la machine retentit. Philippe tend mécaniquement sa main pour récupérer les billets, lorsqu'il écarquille les yeux. Sur l'écran, figés, ces quelques mots fatidiques : « Opération refusée. Nous conservons votre carte. »

LES COPAINS D'ABORD

PHILIPPE REFERME LA PORTE de sa chambre. Dans le couloir, les femmes de chambre vont et viennent avec leurs chariots chargés de draps, de serviettes et de produits d'entretien.

Arrivé au rez-de-chaussée, il rend sa clef au jeune homme de l'accueil et paie avec l'argent mis de côté à cet effet.

– Tout s'est bien passé?

– Oui, très bien.

Le jeune homme pianote sur le clavier de son ordinateur avant de lancer une impression.

– Voilà, votre facture.

– Merci.

– C'est moi.

Philippe traverse le hall et sort dans la tiède lumière du jour. Il est midi. La journée s'annonce réellement agréable.

Il se rend à la gare Montparnasse. Là, il prend une consigne – quatre euros pour quarante-huit heures –, y range sa valise et sa sacoche d'ordinateur. Puis il marche dans le quartier, où il a rendez-vous avec Jérôme, sa femme Gaëlla et leur fils Victor. Il passe devant les théâtres et les sex-shops de la rue de la Gaîté, redescend ensuite vers le boulevard du Montparnasse et la rue de

Rennes. Les terrasses dégueulent de personnes attablées seules, en couple ou entre amis, devant des salades, des tartines gourmandes, arrosées de fillettes de vin du mois, d'une bière ou encore d'une demi-bouteille d'eau pétillante.

Pour déjeuner, il retrouve le clown rouge et or au sourire glacé. Il prend deux hamburgers – un euro et quatre-vingt-dix centimes le tout – qu'il mange sur un banc, au soleil. Il lui reste neuf euros et vingt-trois centimes en poche, juste assez pour payer sa place de cinéma.

À 13 heures, il retrouve Jérôme, sa femme et leur fils. Ils décident d'aller voir la grande comédie du moment parce que, « avec les vies qu'on a, on a besoin de rire ». Besoin visiblement partagé par le plus grand nombre : le film affiche bientôt complet dans deux salles aux séances décalées de seulement une demi-heure.

– J'ai une carte dix places, je te prends la tienne, tu me rembourseras après ?

Philippe accepte la proposition de Jérôme.

À la suite de la projection, ils flânent dans le quartier et s'arrêtent boire un verre à la terrasse d'un café où une table vient de se libérer. Philippe les écoute discourir à bâtons rompus de tout et de rien, évite de parler trop de lui, de Sandrine ou de sa situation, les relance sur leurs vies, sur la nouvelle maternité de Gaëlla, qui attend une petite fille, et dont le terme est prévu pour septembre. Au beau milieu de la conversation, Gaëlla s'absente pour accompagner Victor aux toilettes. Jérôme les regarde s'éloigner avec attendrissement et revient à Philippe.

– Eh bien, qu'est-ce qu'y a ? T'en fais une tête !

– Il faut que je te dise quelque chose…

Philippe lui raconte la vérité sur les cinq dernières semaines qu'il vient de vivre. Son débit est net, sans complaisance ni atermoiement.

— J'avais pas calculé qu'on était le 7, avec la pension le 5… Voilà, tu sais tout. Le problème, c'est que sans boulot, pas d'appart, et sans appart, pas de boulot…

Jérôme reste le regard noyé dans sa bière.

— Si tu pouvais m'héberger un peu… Pas longtemps, tu vois, quelques jours ou quelques semaines, le temps de me retourner…

Jérôme ne lève toujours pas les yeux de son verre.

— J'ai honte, tu sais… J'ai tellement honte… Je prends plus ma mère au téléphone… La pauvre, ça la tuerait… Et ça fait même deux semaines que j'ose pas téléphoner à ma fille, alors que je lui avais promis de l'appeler tous les soirs pour lui raconter une histoire… T'imagines, ma princesse…

Philippe allume une cigarette. Un silence opaque sépare les deux hommes.

— Je peux pas, Philippe…

— …

— …

— Je comprends…

— M'en veux pas, mais je peux vraiment pas. Avec l'arrivée prochaine de la petite… le petit… Et puis Gaëlla… par rapport à Sandrine…

— Je comprends, je te dis. T'inquiète, je vais me débrouiller…

— Sûr?

Apercevant Gaëlla et Victor qui reviennent, Philippe boit une gorgée de son demi.

– Bon, leur lance Gaëlla en s'asseyant, si on allait à pied jusque sur les quais ?

Philippe et Jérôme se regardent.

– Oui, bonne idée, tranche Philippe en souriant.

Gaëlla se tourne vers Jérôme.

– On prendra notre RER à Saint-Michel ?

Jérôme acquiesce, sourit et lui donne un baiser.

Philippe prend l'addition, vérifie combien il doit et sort son portefeuille. Jérôme l'arrête.

– Non, c'est bon, laisse…

– Vraiment ?

– Oui, ça me fait plaisir. Et puis c'est la moindre des choses…

LENT DEHORS

PHILIPPE RACCOMPAGNE JÉRÔME et sa petite famille à l'entrée de la bouche du métro et du RER. Il est un peu plus de 18 heures. Le jour est encore chaud et éclatant. L'été a définitivement chassé la frilosité sournoise du printemps.

– Bon... dit Philippe.

Il fait la bise à Gaëlla.

– Tu es sûr que tu veux pas venir dîner à la maison? lui demande-t-elle.

– C'est gentil, mais je dîne déjà avec un collègue du boulot...

– C'est vrai, tu me l'as dit...

Philippe s'accroupit et passe doucement sa main dans les cheveux de Victor.

– Salut bonhomme... Sois gentil avec ta maman...

Victor lui sourit timidement et se blottit contre la jambe de sa mère. Jérôme s'avance vers Philippe et l'embrasse.

– On s'appelle?

– Sûr! lui répond Philippe.

– Prends soin de toi.

Ils se séparent.

– Au fait…

Jérôme se retourne avec un regard interrogateur. Philippe fait un pas vers lui.

– Je te dois combien pour le ciné?

– Rien, rien…

– T'es sûr?

– Oui, laisse tomber…

Après un dernier geste d'au revoir, Jérôme entraîne sa petite famille à sa suite. Tandis qu'ils descendent les marches plongeant dans le métro, Victor agite plusieurs fois la main en direction de Philippe, qui fait de même en souriant.

Lorsque le couloir souterrain et le cours de leur existence les ont définitivement happés et engloutis, il reste un long moment là, pétrifié, au milieu de la vie grouillante et de la foule agitée des passants, qui vont et viennent, se croisent, s'évitent, se retrouvent pour la soirée ou se quittent pour une autre.

Pâle et estompé, un fin croissant de lune s'accroche fragilement au bleu du ciel.

SANS DESTINATION FIXE

Il traverse la Seine et marche le long des quais. Lentement. Dans le sens contraire des voitures.

Tout d'abord vers l'ouest, les yeux plissés dans le feu du soleil couchant. À la place de la Concorde, il s'engage dans la grande allée bordée d'arbres remontant jusqu'aux Champs-Élysées. Arrivé en haut de la plus belle avenue du monde, il contemple un instant l'Arc de triomphe dans l'horizon encore faiblement embrasé. La nuit tombe. Les lampadaires s'allument, allongeant et multipliant les ombres.

Il fait demi-tour et revient sur ses pas. La lune s'est accrochée au ciel plus fermement et brille maintenant avec assurance. À la Concorde, il retraverse la Seine et récupère les quais, vers l'est, toujours à contresens de la circulation. Il repasse là où, quelques heures auparavant, il a quitté ceux qu'il connaissait. Il ne s'arrête pas. Le flot des voitures est moins dense. Les terrasses sont pleines. Notre-Dame est illuminée.

Il continue, traverse de nouveau la Seine et remonte vers le nord. Agitation festive de Bastille. Ampleur morose de République.

Il dérive vers le canal Saint-Martin. Rives bondées d'insouciance calme au milieu de quelques tentes de fortune.

Il n'y fait qu'une brève incursion et monte vers Belleville. Bigarrure colorée de la rue Sainte-Marthe. Puis croisement du Maghreb à la criée et de l'Asie feutrée à l'intersection du boulevard de la Villette et de la rue du Faubourg-du-Temple.

Il s'assoit sur un banc du terre-plein. Il pose ses coudes sur le dossier, laisse mollement pendre ses avant-bras, rejette sa tête en arrière et ferme les yeux. Il halète.

Progressivement, sa respiration ralentit. Avec une grimace de douleur, il se redresse, incline son buste et prend appui sur ses cuisses.

Il se penche un peu plus en avant, du côté droit, et retire sa chaussure sans en défaire les lacets. Il enlève ensuite sa chaussette. Bouche ouverte, yeux fermés, il se masse longuement le pied avant de changer de côté et de répéter l'opération.

Il finit par ramener ses jambes sous ses fesses, se laisse basculer sur le flanc et s'allonge en chien de fusil sur le banc.

Certains passants le regardent un instant avant de détourner les yeux et de l'effacer de leur champ de vision comme s'il n'avait jamais existé.

Il s'endort.

SANS TOIT NI LOI

IL SE RÉVEILLE et se redresse en sursaut. La respiration courte, saccadée, il scrute d'un œil hagard le terre-plein, les trottoirs et les immeubles autour de lui. Il y a moins de monde sur le boulevard. La nuit enveloppe encore parfaitement la ville. L'enseigne du Royal Belleville éclaire toujours la frontière entre le Maghreb et l'Asie.

Il se rallonge, soupire profondément en se passant la main sur le visage. Son front est perlé d'une sueur séchée graissant jusqu'à la racine de ses cheveux. Pieds et poings liés par le froid.

Il laisse mollement tomber un bras au sol. D'une main tâtonnante, il cherche ses chaussures et ses chaussettes. Soudain, ses doigts se raidissent et se mettent à palper le bitume avec anxiété.

Il se tourne sur le côté, regarde en dessous du banc : rien. Il se lève, s'agenouille et, avec des yeux et des mains frénétiques, fouille de nouveau l'asphalte vierge.

Ses gestes ralentissent et se figent dans l'immobilité et le vide de l'évidence : ses chaussures et ses chaussettes ne sont plus là.

Déchets

Passé un grand moment d'hébétude, il marche pieds nus sur le goudron du terre-plein. Les bars et les restaurants sont maintenant fermés. Les passants se font rares. Quelques grappes de noctambules s'agglutinent devant certains établissements d'où s'échappent des rythmes sourds. L'horloge digitale d'une pharmacie affiche 3 h 16 du matin. Ses pieds sont déjà noirs.

Il quitte cette artère principale et tourne dans une petite rue. Les poubelles sont sorties. Elles balisent les trottoirs comme les numéros les murs des immeubles. Malgré les quelques voitures et personnes qu'il croise de temps à autre, il les ouvre une à une, en extrait les sacs plastique et les fouille. Odeurs de vinaigre et de moisi. De cendres humides et froides. De lait passé et de fond de bouteilles de vin bon marché. Qui s'accrochent aux vêtements et à la peau.

Au début, il détourne la tête, plisse le nez dans une grimace de dégoût pour ne pas trop respirer, effeuille les détritus du bout des doigts. Puis il éventre les sacs, y plonge franchement les mains, parfois jusqu'aux coudes, tachant et mouillant sa chemise et son pantalon.

Alors qu'il enfonce son bras dans l'une d'elles, un rictus avide déchire son visage. Il éviscère fiévreusement le sac-poubelle, le secoue sur la chaussée, s'agenouille, dissèque son contenu avec voracité et en extrait une vielle sandale tout élimée et racornie. Il effectue un demi-tour sur lui-même, toujours à genou, et l'examine sous la lumière grise et tremblante des lampadaires. Il la pose à l'écart et enfouit de nouveau ses mains dans l'amas des déchets. Plus il fourrage à l'intérieur, plus ses gestes se font brusques, brutaux, jusqu'à ce que, dans un mouvement désordonné de rage et d'abandon, il balaie ce tapis d'ordures et s'écroule au milieu.

Il se redresse et se relève en glissant. Il attrape la sandale, l'essaie. Elle est beaucoup trop grande. Elle correspond au moins à un quarante-quatre et il fait un petit quarante-deux. Il la retire, la regarde encore quelques instants à la lueur chevrotante des lampadaires, la laisse négligemment tomber et reprend sa marche.

Il descend la rue, bifurque à droite, à gauche, recroise le cours d'eau du canal Saint-Martin, le traverse. Parfois, il ouvre une poubelle au hasard, l'inspecte sommairement, et se remet en route.

Il tourne dans une petite rue. Près d'une porte de garage, s'amoncellent de grandes lattes de cartons démembrés. Il en allonge plusieurs les unes sur les autres et s'y affale.

IL EST 5 HEURES

DES OISEAUX CRIENT HAUT dans le ciel lorsqu'il ouvre les yeux. À l'autre bout de la rue, deux hommes des services de propreté de la ville, vêtus de leur combinaison verte, nettoient la chaussée et les trottoirs. Véhicule miniature et karcher longue portée. Papiers, mégots et détritus sont rejetés sans ménagement dans le caniveau, puis dans les égouts. Plus loin, un boulanger lève le rideau de fer de son commerce. À l'angle, un serveur installe les tables et les chaises de sa terrasse.

Il est 5 heures passées. Dimanche matin. Paris s'éveille. Avec la gueule de bois d'un samedi soir bien enfumé et bien arrosé.

Il cligne des yeux, s'assoit en ramenant ses pieds glacés sous ses fesses. Il se frictionne les bras, le torse, se frotte doucement le ventre, allume une cigarette et regarde autour de lui. Il met sa main dans la poche avant de son pantalon, en sort son portefeuille. Il l'ouvre. Il lui reste les neuf euros et vingt-trois centimes qu'il avait hier avant d'aller au cinéma. Ses yeux se fixent un instant sur la photo de sa fille.

Soudain, il se tortille sur place, fronce les sourcils en tournant sa tête comme pour voir derrière lui, glisse successivement sa main dans les poches arrière de son pantalon et en retire la clef de la consigne de la gare Montparnasse où il a laissé ses affaires.

– Hé!

Il relève la tête. Le petit homme vert avec le karcher n'est plus qu'à quelques mètres et lui fait signe de ne pas rester là.

Il se lève. Après quelques premiers pas hésitants, comme s'il marchait sur du verre pilé ou sur des braises, il s'éloigne rapidement sur le bitume encore sec de la rue.

Il entre dans une boulangerie, achète une demi-baguette – trente-cinq centimes d'euro – et l'engloutit en rejoignant la bouche de métro la plus proche dans laquelle il s'engouffre sans payer son ticket.

PARFUM DE NUIT

IL SE LAISSE TOMBER dans l'un des petits sièges rouges qui parsèment le quai par grappes de trois ou quatre.

Il y a peu de monde à cette heure-là, surtout un dimanche matin. Trois jeunes d'une vingtaine d'années, deux garçons et une fille, l'esprit et l'œil embrumés, le regard approximatif, vague et vaseux, encore ivres des excès éveillés de la nuit. Une femme d'une cinquantaine d'années, toute pomponnée et toute pimpante, un panier en osier à la main. Et deux hommes, l'un d'origine hindoue et l'autre d'origine africaine, sans âge ni distinctions particulières, si ce n'est une légère fatigue lovée dans leurs cernes creusés de s'être levés si tôt en ce jour de repos dominical. Seul absent au tableau pour cause de jour chômé, le cadre dynamique et plein d'entrain, frais lavé, bien coiffé, au journal nerveux.

Le compteur indiquant le temps d'attente jusqu'à l'arrivée des prochaines rames affiche sept minutes pour la première, quatorze pour la seconde.

Lorsque le métro entre dans la station, le crissement strident des roues métalliques contre les rails le tire de sa demi-somnolence. Il se lève. Les portes s'ouvrent. Ce n'est pas l'heure de pointe. Pas de bousculade ridicule. Pas de soupirs irrités, de chocs d'épaules, de grommellements crispés, de pieds écrasés ou d'injures marmonnées et lâchement désagréables.

Il monte. Et avec lui, ses pieds noircis par le bitume et le parfum de sa nuit sans domicile.

À peine une dizaine de voyageurs se partagent l'ensemble des places libres. Il s'assied dans un carré de sièges complètement inoccupé. Dans le carré en vis-à-vis, de l'autre côté de l'allée centrale, un homme de son âge se lève et part s'installer à l'autre bout du wagon. Les regards se dérobent, fuient.

À chaque station, le visage de ceux qui l'aperçoivent en montant se crispe ou se fige avant de se retrancher derrière une indifférence de façade comme on verrouille une porte. Ceux qui vont pour s'asseoir non loin de lui se ravisent à sa vue et, après un demi-sourire tordu et embarrassé, vont s'asseoir plus loin, quand ils ne changent pas de voiture à la station suivante. Ceux qui le repèrent depuis le quai s'épargnent ces simagrées et montent directement dans un autre wagon.

Il ferme les yeux.

Point de départ

Station et gare Montparnasse. Départ pour le Sud-Ouest et les grandes vacances. Direction le soleil et l'insouciance des plages de la Côte sauvage, de Bordeaux, de la Côte landaise ou de Biarritz.

Il descend du métro. Il suit les panneaux « SNCF Grandes Lignes ». Les regards qu'il croise glissent sur lui comme sur les murs ou les affiches.

Depuis le hall, il rejoint la consigne où, la veille, il a laissé sa valise et sa sacoche d'ordinateur. Il ouvre, récupère sa trousse de toilette et des affaires propres : pantalon, tee-shirt, caleçon, chaussettes, et surtout chaussures, pull, blouson.

De là, il se rend aux douches et aux toilettes publiques. À l'entrée, une femme vêtue de l'uniforme des équipes d'entretien est assise derrière un comptoir.

– Une douche et une serviette, s'il vous plaît ?

– Quatre euros quatre-vingts.

Il sort son portefeuille, lui donne la somme demandée. Elle lui tend la serviette et lui rend sa monnaie. Il ne lui reste plus que quatre euros et huit centimes.

– Merci.

– C'est la première fois ?

Sans la regarder, il acquiesce.

– Prenez celle que vous voulez, il n'y a encore personne pour l'instant.

Il la remercie d'un demi-sourire cassé mais réel, les yeux au sol et en hochant imperceptiblement la tête.

À pas lents, il se dirige vers les cabines réservées aux hommes. Ici, la propreté se sent à la forte odeur de Javel tiède qui baigne la pièce.

Il s'engouffre dans la dernière douche de la rangée, ferme la porte, se déshabille, suspend ses vêtements propres au crochet prévu à cet effet, plie les sales, les cale en un petit tas compact à l'opposé de la cuvette bleue au-dessus de laquelle pend le pommeau.

Il accroche la serviette par-dessus ses affaires propres, actionne le robinet, règle la température, se glisse sous le jet chaud, se lave intégralement.

Une fois sec, il met du déodorant, une pointe d'eau de toilette, s'habille, se lave les dents, se coiffe et va aux toilettes.

Avant de quitter les lieux, il rend la serviette à la femme de l'entrée.

– Normalement, c'est cinquante centimes de plus pour les toilettes...

Ils se dévisagent. Sans qu'il dise quoi que ce soit, elle lui donne un sac plastique.

– Tenez, pour vos vêtements sales. Pour qu'ils n'imprègnent pas les autres.

Il prend le sac, lui retourne son sourire, va ranger sa trousse de toilette et les affaires souillées de la nuit dans sa consigne, puis descend dans la lumière du jour.

Chien errant

EN SORTANT DE LA GARE, il traverse le parvis et longe les immeubles en direction de la rue de Rennes. Le soleil brille. Il plisse les yeux. Tout autour, la vie s'agite. Moins nerveusement qu'en semaine, mais avec autant d'intensité.

Sur son chemin, il passe devant un marchand de crêpes, ouvert depuis tôt ce matin pour servir les soiffards dorés et affamés à la sortie des boîtes de nuit, avant qu'ils ne rentrent chez eux cuver leurs excès dans des draps frais et insouciants. Il consulte les prix, commande une jambon-fromage, qu'il attaque en remontant vers le boulevard Edgar-Quinet et la rue de la Gaîté.

Là, il s'installe sur un banc vide. La crêpe a refroidi. Il n'a plus que cinquante-huit centimes d'euros en poche.

Tandis qu'il dévore sa pitance, un chien au pelage rongé et irrégulier s'approche du banc en remuant timidement la queue. Un peu courbé, la truffe alerte. Il s'assoit en face de lui et le regarde, haletant, gueule ouverte, langue pendante. De temps à autre, il cesse complètement de respirer, ferme les mâchoires et le fixe avec les oreilles dressées, dont une, la gauche, penche plus que l'autre et porte une profonde entaille. Après une poignée de secondes, il se remet à haleter, couine comme on réclame, cesse à nouveau de respirer, oreilles au garde-à-vous, recommence. Parfois, il soulève son arrière-train à quelques centimètres du sol, s'incline légèrement comme s'il allait se lever ou bondir en avant, mais il se rassied et reprend son alternance de halètements, de couinements et d'oreilles tendues.

Il froisse bruyamment le papier qui enrobait la crêpe. Il ne lui reste qu'une à deux bouchées. Les meilleures, celles de la pointe enroulée de la pâte, là où le jambon et le fromage sont les plus tassés.

Il regarde le chien et lève ce dernier bout dans sa direction. Instantanément, celui-ci cesse de respirer, les yeux exorbités, les oreilles droites et le torse bombé.

Il commence à avancer sa main vers l'animal. À mi-chemin, il suspend son geste.

– Doucement!

Il avance un peu plus et suspend de nouveau son geste.

– Doucement...

Il s'approche encore un peu plus, presque à le toucher, et s'immobilise. Le chien ne bouge pas, les yeux rivés sur le morceau de pâte roulée et farcie. Deux filets de bave dégoulinent de ses babines. Lentement, il entrouvre la gueule, pivote pour pouvoir enserrer le bout qu'il lui tend, s'en saisit délicatement, recule la tête, et se met à mâcher d'une manière tellement compulsive qu'il ne le déchiquette qu'à peine et l'avale tout rond, manquant s'étouffer.

– Et alors!...

Il ouvre sa main. Le chien reprend son souffle, puis lui lèche les doigts.

– Ben voilà!...

Il commence à lui caresser le haut du crâne et à lui gratter l'encolure. Le chien cligne des yeux, lui soulève le bras avec son museau et pose sa tête contre la paume de sa main.

Il lui sourit, lui pince la joue et se lève.

Aussitôt, l'animal le fixe, les oreilles en points d'interrogation.

Il fait un tour sur lui-même, s'allonge sur ses pattes avant en remuant la queue, ses pattes arrière tendues, l'arrière-train droit, et aboie plusieurs fois.

– Non, non, non, je ne veux pas jouer.

Il commence à s'éloigner. Le chien aboie de plus belle et le rejoint.

Il s'arrête, se retourne, s'accroupit. Le chien s'assoit et le regarde en remuant la queue, la langue pendante, encore. Il tend plusieurs fois sa patte dans sa direction et la laisse retomber.

– Je peux pas t'emmener avec moi… Tu comprends?

Tous deux se dévisagent. Le chien ferme ses mâchoires, cesse de respirer, oreilles dressées, avant de se remettre à haleter et de lui tendre de nouveau la patte. Philippe se baisse, la prend et la serre comme s'il serrait la main d'un autre homme. Il le caresse une dernière fois, part et marche sans se retourner.

Alors qu'il va bifurquer dans une rue adjacente, il jette un coup d'œil par-dessus son épaule: le chien n'est plus là.

MANGER

Il marche toute la matinée. Cinquante-huit centimes d'euro en poche. Il passe devant plusieurs supermarchés et supérettes : tous sont occupés par un, deux ou trois SDF, certains en couple ou avec un chien. Même chose devant les bars-tabac, les bouches de métro, les cinémas, les églises, les grands magasins en tout genre, les rues piétonnes ou à forte fréquentation. Partout, il y a déjà quelqu'un.

À 14 heures, il n'a toujours pas trouvé d'endroit où s'installer. Il attache son pull autour de la taille et porte son blouson sous le bras. Tout en marchant au fil de la ville et des trottoirs, il commence à aborder directement les passants.

– Excusez-moi madame, il me manque un euro pour pouvoir manger… Excusez-moi monsieur…

Regards aveugles, mouvements de tête négatifs, haussements de sourcils, soupirs agacés, bougonnements, mains levées comme un mur invisible ou une barrière infranchissable.

Quatre heures plus tard, il n'a récolté que trois euros et vingt centimes, portant ainsi son pécule à trois euros soixante-dix-huit.

BOIRE

DE TEMPS À AUTRE, il entre dans un café et s'accoude au comptoir.

– Ouais?

– C'est possible, un verre d'eau?

– Faut consommer d'abord.

Il regarde le prix du café : un euro dix. Il sort. Au mieux dans l'indifférence générale, au pire gratifié de quelque remarque désobligeante.

Plus tard et plus loin, il entre dans un autre établissement. S'il arrive qu'on accepte de lui donner à boire, l'accueil est, en substance, généralement le même :

– J'suis pas distributeur d'eau.

– Désolé.

– Dégagez.

Quand ce n'est pas seulement un regard qui se détourne pour toute réponse.

RESTER DIGNE

ACCEPTER DE LUI DONNER un verre d'eau n'implique pas de le laisser aller aux toilettes. Certains ferment les yeux. Parmi eux, les patrons des établissements où il faut d'abord introduire une pièce de vingt, parfois cinquante centimes d'euro pour en ouvrir la porte.

Restent alors murs, angles et recoins pour uriner. Et, dans le meilleur des cas, si elles sont gratuites, les toilettes publiques pour déféquer.

PARENTHÈSE DÉSENCHANTÉE

PEU AVANT 18 HEURES, fort de ses trois euros et vingt centimes supplémentaires, il s'extrait de la circulation du trottoir et s'assoit sur un banc. Il est en nage. La puissante luminosité du soleil de juin prend ouvertement ses teintes fauves de fin d'après-midi. Le bitume commence à exhaler une partie de la chaleur emmagasinée tout au long de la journée. Il fait encore plus chaud.

Il se masse longuement le bas du dos, grimaçant parfois de douleur. Puis il prend son téléphone portable, compose le numéro de son ancien domicile et active la fonction « mute », permettant de parler sans être entendu par son interlocuteur. Après deux sonneries, sa fille répond.

– Allô ?…

– C'est moi, ma Princesse, c'est papa…

– Allô ?…

– Je pense à toi, tu sais…

Derrière, la voix de Sandrine retentit.

– C'est qui ?

– Sais pas, j'entends rien…

Les pas de son ex-femme s'approchent.

– Souviens-toi comme je t'aime…

La mère est juste derrière sa fille.

– Donne…

– Au revoir…

– Au revoir, ma Princesse…

Sandrine prend le combiné.

– Allô?… Allô?…

Elle raccroche. Il reste assis là, à regarder le va-et-vient dominical du monde.

Par intermittences, ses paupières se ferment. Son menton
tombe de temps à autre sur sa poitrine. Il se redresse, cligne rapidement des yeux à plusieurs reprises, mais son visage et son attention s'affaissent de nouveau.

Il s'allonge, roule son blouson et son pull sous sa tête en les
tenant fermement contre lui.

Il s'endort.

MARCHER

LE SOIR FINIT D'ÉTENDRE ses ombres lorsqu'il se réveille. Il déglutit, regarde sa montre : il est bientôt 20 heures.

Le trottoir où il se trouve n'est plus que faiblement fréquenté. Beaucoup sont déjà rentrés. Ils profitent des dernières heures de répit avant le début d'une nouvelle semaine.

Il se lève, passe son pull et, son blouson sous le bras, se remet à marcher au gré des rues. Devant le renfoncement d'un garage, il s'arrête, regarde à gauche, à droite, urine et repart au moment où une voiture s'engage dans la rue.

Les terrasses sont encore pleines. Les salles intérieures des restaurants et des brasseries également. On boit, on mange, on discute, on se dispute, on rit. Où qu'il aille, la vie et la consommation grouillent, débordent et lui sautent à la gorge. De temps à autre, il demande un ou deux euros à des passants. Sans effet.

Sur les coups des 22 heures, il s'achète un kebab – trois euros et cinquante centimes. Il le mange adossé au rebord d'une fontaine. Quand il a terminé, il s'y désaltère, se passe de l'eau sur la figure et dans les cheveux. Puis il reprend sa route sans but, demande de nouveau l'aumône à des passants. Toujours en vain.

À l'exception d'une jeune fille, qui lui donne une pièce de deux euros et une cigarette, fumée dans la foulée, il ne récolte rien de plus.

Il marche. Au détour de ses déambulations, il croise des grappes de SDF. Certains sont organisés en de véritables campements : tentes, duvets, réchauds à gaz, et même chaises pliantes. Ça parle fort, ça gueule, ça vocifère. La plupart de ceux qu'il croise sont seuls ou juste en compagnie d'un chien. Pratiquement tous boivent du vin qui troue l'estomac et sont ivres.

Il marche. Dans le recoin d'une rue calme et sombre, il tombe sur un SDF en train de déféquer dans l'angle obscur d'un immeuble. Même à plusieurs mètres de distance, il dégage une puanteur lourde, cocktail de sueur d'aisselles coagulée, d'entrejambe souillé, à laquelle se mêlent le bruit de ses flatulences huileuses, les exhalaisons de sa flore intestinale rongée, percée par le vin frelaté et les parasites, qui coulent sur le trottoir en une fiente liquide et éclaboussent ses chaussures et son pantalon tirebouchonné jusqu'aux chevilles.

Il ne s'arrête pas. Et marche, encore et encore.

DORMIR

PARIS NE DORT JAMAIS. Pas de rue uniquement éclairée par des lampadaires, avec tous les volets fermés, scellés au crochet et plongés dans l'obscurité au-delà. Quels que soient l'heure, le quartier et la rue où il s'engage, il y a toujours quelqu'un, sur le trottoir d'en face ou devant lui, qui vient ou qui s'en va. De même, il y a toujours une lumière qui brille, une lucarne éclairée, une fenêtre en rectangle noir irrégulièrement illuminée par des éclairs stroboscopiques blanc et bleu provenant d'une télé allumée pour tuer une solitude ou une insomnie.

Il a beau marcher longtemps, il n'est jamais seul nulle part. Vers une heure du matin, ses pas ralentissent. Il échoue encore sur un banc. Il retire ses chaussures, se masse les pieds, les remet. Il enfile son pull, enroule son blouson, s'allonge sur le côté en le tenant farouchement en dessous de sa tête. Il ferme les yeux. La partie horizontale du banc, comme le dossier, est constituée de deux planches séparées par un petit espace de quelques centimètres où tantôt sa hanche, tantôt ses côtes, quand il se recroqueville plus sur lui-même, raclent et frottent. Toutes les deux minutes, il gigote.

Alors qu'il commence à somnoler, il se met à frissonner. Il enfile son blouson, se rallonge en repliant son bras sous sa tête. Il

121

gesticule tout autant. Il se retourne sur le dos. Là, c'est son coccyx et ses vertèbres qui, malgré les épaisseurs, frottent et raclent dans la rigole de vide entre les deux planches du banc.

Et puis les bruits, les multiples bruits – voitures, passants, portières qui claquent, pas et talons qui retentissent sur l'asphalte du trottoir, les conversations qui s'approchent, s'éloignent, se taisent parfois arrivées à son niveau –, tout et rien à la fois, titillent en permanence son ouïe et sa vigilance, le maintenant dans un demi-sommeil flottant et fragmentaire.

Quand se lève le matin livide, il n'a dormi que quelques heures morcelées comme du verre brisé.

SURVIVRE

L E MÉTRO ENTRE DANS LA STATION. Pendant l'échange des
voyageurs, il se tient légèrement en retrait sur le quai.

L'heure de pointe est passée. Si les rames ne sont plus prises
d'assaut par une foule pressée et stressée, de légères bousculades
absurdes se produisent à chaque instant les jours de semaine.
Soupirs exaspérés, coups d'épaules, bougonnements agacés, pieds
écrasés, injures grognées suffisamment fort pour être entendues,
mais en s'enfuyant lâchement d'un pas rapide pour sortir à l'air
libre ou attraper une correspondance.

Lorsque retentit le signal de fermeture des portes, il monte
dans l'un des wagons. Des strapontins sont encore libres. Quelques sièges des carrés assis également. Les visages sont murés dans
leur indifférence quotidienne, lisses et fermés comme des masques
de fer, tout entiers tendus vers le but extérieur de leur transit
souterrain.

Les portes claquent et, après quelques secondes de flotte-
ment, la rame s'élance par à-coups. Il s'accroche aux deux barres
de métal verticales, prend une profonde inspiration et, tête baissée,
le regard dans le vague du sol, il répète ces fragments sonores
prononcés des milliers et des milliers de fois par d'autres : pardon

de vous déranger, pas de logement, pas d'emploi, à la rue, m'aider d'une petite pièce, un ticket-restaurant, de métro, juste une cigarette, rester propre, manger, dormir au chaud.

Sans un mot, il passe parmi eux. Regards glissants, fuyant le sien pour se réfugier dans un livre ou un journal, boucliers de papier ouverts à la va-vite. Montée en régime des baladeurs. Demi-sourires tordus grillageant les visages comme autant de levées de herses. Seul un Chinois lui donne un euro.

À chaque arrêt, il change de voiture et répète l'opération. Au terminus, il repart en sens inverse. Après une heure et demie, il a récolté presque dix euros.

Arrivé à un nœud du réseau, d'où partent nombre de lignes, il monte dans une rame. Lorsqu'il commence à parler, un homme à la stature de colosse fait de même à l'autre bout du wagon. Leurs mots s'entrechoquent. Ils se regardent, abdiquent et descendent à la station suivante.

Il va pour partir dans la direction opposée, mais l'autre lui fait signe de venir. Il hésite un instant, puis le rejoint.

Ils s'assoient sur le muret du quai. Le colosse sort un paquet de cigarettes et lui en propose une. Il accepte.

— T'es nouveau ici? Tu t'appelles comment?

— Philippe.

— Gérard.

Ils se serrent la main.

— Ça fait combien de temps?

— Un mois que ma femme m'a viré. Deux jours que je suis vraiment à la rue. Et toi?

— Trois ans, deux mois et dix-sept jours.

Philippe le dévisage avec étonnement.

– Je compte pour pas oublier qu'il y a eu une autre vie avant, et qu'il peut y en avoir une autre après. La notion du temps est la première chose qu'on perd dans la rue.

– C'est vrai. J'ai l'impression que ça fait déjà des années.

– C'est pour ça que je suis pas encore fou. Et parce que je bois pas. Si tu bois, t'es foutu. Tout te lâche. Ton corps, ta tête. Tu reviens jamais.

Ils fument un instant en silence.

– Tu sais comment ça marche ici?

Philippe le fixe d'un regard incrédule.

– Y a pas de loi, reprend Gérard, mais y a des règles. Ne pas monter dans un wagon où y a déjà quelqu'un qui bosse. Faire attention aux anciens de la ligne. Les places sont chères. Pareil pour dormir : toujours faire gaffe que c'est pas déjà le territoire de quelqu'un.

Gérard tire sur sa cigarette et l'écrase.

– Pour le reste, tu sais comment faire?

– Au jour le jour.

– Ouais, mais la bouffe, l'hiver?

– Pas vraiment non.

Gérard sort un petit bloc-notes et un stylo à bille de sa poche.

– Je te file deux trois adresses où je vais. Le 115 pour les centres d'hébergement… Un conseil : évite le CHAPSA de Nanterre…

– Pourquoi?

– C'est la fin du monde… Sinon, reprend-il, la soupe populaire de Montorgueil, les Restos du'C, rue de l'Ave-Maria, Emmaüs et le Secours catho pour les fringues…

– Merde!

Philippe se lève d'un bond et écrase sa cigarette.

– Quoi?

– Ma valise!

– Ta valise?

– Elle est dans une consigne à Montparnasse…

Il regarde sa montre.

– Putain, j'ai passé l'heure!

Il commence à partir.

– Hep!

Il se retourne. Gérard détache la page de son bloc-notes et la lui donne.

– Attrape la 4, t'es direct pour Montpa.

– Merci.

Il s'engouffre dans un couloir et accélère le pas.

CASIER VIERGE

LES STATIONS RESTANTES défilent au rythme lent et brin-
guebalant de la ligne 4. Il trépigne, jette des coups d'œil
anxieux à sa montre.

Arrivé à Montparnasse, il saute sur le quai, court dans les
couloirs, dans les escalators, et arrive tout essoufflé devant le casier
où il a laissé sa valise et son ordinateur portable. Il est 14 heures
passées de quelques minutes.

Il essaie de l'ouvrir, en vain. Il essaie encore, s'énerve, tape de
rage contre le métal.

– Hé oh !…

Il se retourne et se retrouve face à un agent de la SNCF.

– Ça va pas ou quoi ?

– Ma valise, j'avais laissé ma valise ici !

– Ah, c'est vous…

– Comment ça, c'est moi ? C'est moi qui quoi ?

– Comme vous avez pas renouvelé votre dépôt, la brigade de
déminage est venue, et…

Il le dévisage.

– Vous voulez dire que… mes affaires… ?

L'agent de la SNCF acquiesce, les yeux fuyants.

– Désolé…

Il le toise un instant du regard quand, soudain, il frappe de toutes ses forces contre la porte du casier et, l'index pointé dans sa direction, s'avance avec un air menaçant vers l'agent. Celui-ci recule de quelques pas.

– Attendez, j'y suis pour rien moi…

Il s'immobilise, le visage écumant, le scrute un long moment. Puis il tourne les talons et s'en va.

REVENANT

IL SORT DE LA GARE. Encore une journée splendide, sans nuages. Le parvis est bondé. D'un côté, ceux qui marchent vite, pour aller attraper un train ou un métro, et slaloment périlleusement entre ceux qui les encombrent de leur lenteur pédestre. De l'autre, ceux qui flânent, qui ont le temps, touristes, RTT ou étudiants, qui déjeunent sur le pouce en profitant du soleil. Et l'entre-deux, ceux qui s'adonnent à la mendicité directe ou vendent des journaux pour se payer une chambre de fortune, manger, rester propre.

Il longe les immeubles en direction de la rue de Rennes, tourne à droite, remonte vers la rue de la Gaîté et s'assoit sur le même banc que la veille, à l'ombre des arbres.

Il regarde autour de lui, se penche en avant, appuie ses coudes sur ses cuisses, se prend la tête entre les mains, le corps oscillant insensiblement d'avant en arrière.

Soudain, il se fige et lève les yeux : face à lui, assis, mâchoires fermées, oreilles dressées, qui le fixe en poussant de petits couinements plaintifs, le chien.

Il le dévisage un instant, baisse de nouveau la tête et recommence à se balancer imperceptiblement d'avant en arrière. À plusieurs reprises, le chien soulève son arrière-train de quelques centimètres et s'avance doucement avec de légers gémissements. Lorsqu'il est à portée de museau, il essaie de soulever le bras de Philippe, lui lèche délicatement les mains et la figure.

Avec un geste d'agacement, il se rejette brutalement en arrière.

— Putain mais fous-moi la paix, quoi!

Il se lève.

— Tu vois pas que c'est pas le moment, bordel!

Il commence à s'éloigner. Le chien lui emboîte le pas, demeurant toujours quelques mètres derrière lui.

Il s'arrête, se retourne : le chien fait de même et s'assoit. Il repart, lance de nouveau un coup d'œil derrière lui. Même résultat.

Il scrute autour de lui, se dirige vers une poubelle publique, attrape une cannette vide et l'envoie violemment sur le chien. Celui-ci l'évite de justesse et, oreilles en arrière, détale un peu plus loin, avant d'arrêter sa course et de se rasseoir.

Le visage crispé et tendu, il prend tout ce qu'il peut dans la poubelle et le balance en s'avançant vers lui d'un pas déterminé.

— Dégage! Dégage!

Tête rentrée, oreilles rabattues, le chien déguerpit et disparaît sans demander son reste.

Il guette longuement dans sa direction, tourne les talons et reprend sa marche.

Lorsqu'il bifurque dans une rue adjacente, il ne voit pas le chien qui, de retour sur le terre-plein, l'observe avec les oreilles dressées, en poussant de faibles geignements.

DEMAIN RESSEMBLE À HIER

L'AVENIR SE VIT AU PRÉSENT. Un présent qui ne se conjugue pas. Ou uniquement au mode infinitif. Parce que aujourd'hui ressemble à hier, et demain à aujourd'hui.

Manger. Dormir. Boire. Rester propre. Emmaüs. Mendier. Regarder la date sur la une des journaux. Penser à Claire.

Marcher. Lavomatique. Dormir. Uriner. Compter les jours. Manger. Restos du Cœur.

Trouver des vêtements. Secours catholique. Marcher. Déféquer. Faire la manche.

Rester digne. Ne pas devenir fou. Uriner. Compter les jours.

Boire. Lavomatique. Mendier. Penser à Claire. Dormir. Se laver. Regarder la date sur la une des journaux.

Dormir. Rester propre. Déféquer. Ne pas mourir. Changer de chaussures.

Rester digne. Mendier. Ne pas lâcher. Manger. Boire. Dormir. Rester en vie. Penser à Claire. Vivre. Survivre.

LA JEUNE FILLE DU SQUARE ASSISE SUR UN BANC

PREMIÈRE QUINZAINE D'AOÛT. Paris est moins encombrée, moins stressée. Les klaxons sont moins agressifs. La circulation est plus fluide et plus effacée. Les terrasses des cafés sont plus clairsemées que d'habitude. Les serveurs jettent moins le café-verre d'eau à la gueule des clients. Malgré la chaleur, suffocante parfois, la ville respire plus et mieux.

L'après-midi, il va souvent dans un square ombragé près des Invalides. Un jour, à l'heure du déjeuner, une jeune femme d'une trentaine d'années, peut-être un peu moins, est assise sur le banc où il s'installe habituellement. Elle finit son sandwich en lisant un livre. Son visage est doux, ouvert. Il s'approche.

– Excusez-moi… Bonjour…

– Bonjour…

– Ça vous ennuie si je m'assois avec vous ?

Une lueur de désarroi traverse les yeux de la jeune fille.

– Vous inquiétez pas, ajoute-t-il aussitôt, je ferai pas de bruit, je vous dérangerai pas dans votre lecture…

Elle regarde discrètement autour d'elle. Il y a d'autres personnes dans le square. Elle ramène son sac contre elle.

– Merci…

Il s'assoit. Il pose ses coudes sur le dossier du banc, respire la fraîcheur de l'ombre.

Subrepticement, elle lui jette de petits coups d'œil au-dessus des lignes de son livre.

Au bout d'un moment, alors qu'elle va mordre dans son sandwich, elle se ravise et rompt le silence.

– Vous en voulez?

Il se retourne vers elle.

– J'ai déjà mangé, merci…

Ils se sourient.

– Vous êtes sûr? insiste-t-elle, le sandwich tendu dans sa direction.

– Certain, merci.

Elle mord dedans.

– Qu'est-ce que vous lisez?

Elle referme son livre et lui montre la couverture.

– Pardon, j'avais dit que je vous dérangerais pas…

– C'est le premier roman de Yaël Hirsch, *Psalmodies*, l'histoire d'une jeune femme hantée par le souvenir et la culpabilité de la Shoah.

– Et c'est bien?

– C'est très triste et très dur, mais j'aime beaucoup. L'écriture est sèche et tranchante comme un rasoir.

– Vous avez l'air de vous y connaître, en livres.

– Je fais un stage au Grand Livre du Mois, à quelques rues d'ici.

– Pardonnez-moi, mais… c'est quoi le Grand Livre du Mois?

Elle lui explique alors le principe de cette édition vendue par correspondance, sur catalogue ; catalogue dont elle rédige, dans le cadre de son stage, certains des articles présentant les livres. La conversation dévie sur elle et sur son parcours : après avoir travaillé pendant plusieurs années en tant qu'assistante mise en scène dans le cinéma et la télévision, elle a quitté le milieu de l'audiovisuel qu'elle ne supportait plus et s'est inscrite à la fac pour pouvoir obtenir des conventions de stage et en décrocher dans l'édition. Elle en est à son troisième depuis septembre, et elle espère bien que celui-ci se transformera en CDD, car ses maigres économies amassées dans son ancienne vie sont plus que fondues.

— C'est courageux de repartir de zéro comme ça…

— Et vous ?

Elle prend une cigarette, lui en propose une. Il accepte et, à son tour, lui raconte son itinéraire : son mariage raté, sa fille, comment il s'est fait virer de chez lui par son ex-femme, sa descente aux enfers, son combat quotidien pour ne pas sombrer encore plus bas, la spirale de la rue, la honte.

— Je m'en doutais, lui dit-elle à la fin de son récit.

— Comment… ?

Il laisse sa phrase en suspens.

— Vos vêtements mal assortis, le pantalon trop grand et le polo trop petit… Et puis la manière dont vous regardez autour de vous, toujours à l'affût…

Ils se dévisagent un instant. Un silence gêné s'installe. La jeune femme range son livre dans son sac et se lève.

— Vous partez ?

— Ma pause est finie…

— Vous venez souvent déjeuner ici ?

– C'était la première fois aujourd'hui.

– Moi, je viens là tous les jours, pour avoir un peu de fraîcheur.

– Peut-être à bientôt alors?

– Vous savez où me trouver.

Elle s'éloigne de quelques pas.

– Au fait…

Elle se retourne.

– Je m'appelle Philippe…

– Claire.

Le visage de Philippe se fend d'un vrai et franc sourire.

– Le prénom de ma fille…

Claire lui sourit et quitte le square.

Elle ne revient pas, ni le lendemain ni les jours suivants.

HIER SERA ENCORE DEMAIN

Tout continue et recommence sans cesse, différent et pourtant à l'exact identique.

Mendier. Dormir. Se laver. La date des journaux. Déféquer. Bouffer. Boire. Dormir. Rester propre. Penser à Claire. Ne pas crever.

Pioncer. Lavomatique. Manger. Pisser. Compter les jours. Boire. Trouver un pull et des chaussettes. Secours catholique.

Marcher pour se réchauffer. Chier. Faire la manche. Rester digne. Ne pas devenir cinglé. Compter les jours. Changer de pantalon. Penser à Claire. Uriner. Bouffer.

Rester propre. Emmaüs. Mendier. La date des journaux. Chier. Marcher. Pisser. Pioncer. Penser à Claire. Rester digne.

Ne pas lâcher. Pioncer. Bouffer. Ne pas crever la gueule ouverte.

Hier ressemble à aujourd'hui, et demain à hier. Avenir et passé s'effondrent et agonisent dans un présent sans fin.

OH LES BEAUX JOURS !

L A VILLE ÉMERGE de sa léthargie estivale. Les rues se remplissent, les boulevards se rengorgent. La semaine précédant septembre, le cœur de la capitale a pratiquement recommencé de battre à son rythme effréné. Les grandes artères déversent leurs flots saccadés de voitures et d'embouteillages. La vie citadine reprend son cours avec son cortège de stress et de mauvaise humeur. Les klaxons retrouvent leur tonalité crispée et agressive. Les terrasses des cafés sont prises d'assaut au moindre rayon de soleil prolongeant les beaux jours, les serveurs se remettent à jeter le café-verre d'eau à la gueule des clients.

Partout, les panneaux publicitaires annoncent en 4 x 3 le retour prochain de l'automne : « La rentrée à petits prix ! » et autres épitaphes pour des vacances et un été qui tirent lentement leur révérence avant de sombrer dans le noir et blanc du souvenir. Si les journées sont souvent encore chaudes, les soirs et les nuits tombent désormais plus rapidement. L'après-midi, la légèreté et l'insouciance vestimentaires continuent de souffler dans les rues, mais, quand la luminosité fauve et estompée du jour décline, les pulls sur les épaules et les châles autour du cou fleurissent comme les grappes de gui sur les arbres. Sous l'or roux dont se drape l'obscurité montante, percent déjà les morsures tranchantes de l'hiver.

Il marche parmi les passants affairés. Il arbore une barbe de quelques mois, aux poils irréguliers et dépareillés comme ses habits. Ses cheveux filasse, un peu gras, valsent à chacune de ses enjambées sur son front légèrement dégarni et devant ses yeux. En bandoulière, il porte un sac cylindrique, en toile de jute élimée, usé d'avoir trop traîné sur le goudron granuleux et râpeux des trottoirs. À l'intérieur, rangés dans différents sacs plastique, les éléments constitutifs de sa vie : vêtements, propres et sales, bien séparés les uns des autres, groupés par familles – caleçons, chaussettes, tee-shirts, pulls, de chez Emmaüs, du Secours catholique et d'ailleurs –, du déodorant qu'il utilise après ses deux douches hebdomadaires, un téléphone portable inactif pour cause de suspension d'abonnement, un duvet et des cartons démembrés, bien pliés ou roulés sur eux-mêmes.

Il est 15 heures, vendredi après-midi. La journée, bien que délicatement voilée, reste douce. Épaules hâlées et dénudées, les femmes ont des sacs griffés de marques ou d'enseignes prestigieuses. Les hommes gardent les mains dans les poches, les manches retroussées sur les avant-bras et la veste négligemment passée par-dessus. Les prévisions météorologiques pour le week-end sont optimistes.

Il traverse cette foule nonchalante de sa dégaine et de son visage mal assortis. Les regards le transpercent comme un ectoplasme. Personne ne le voit se faufiler au milieu d'eux. Ni monter sans billet dans un train.

JUSTE UNE OMBRE SUR UN MUR

LA SONNERIE ÉLECTRONIQUE marquant la fin des cours et le début du week-end retentit jusque sur le trottoir où les parents attendent leurs joyeux bambins. Quelques minutes plus tard, à peine, les cris aigus et les rires résonnent dans les couloirs avant que les petits n'envahissent la rue dans un étourdissant ballet de têtes blondes, couettes et nattes brunes, robes à smocks et bermudas colorés.

Dans cette euphorie, personne ne remarque que, à l'angle de la chaussée d'en face, dans l'ombre du renfoncement d'une sortie de garage, se tient un homme avec un sac en bandoulière. Ni l'intensité de son regard lorsqu'il aperçoit une petite fille vêtue d'une robe à volants bleu marine, les cheveux tenus en arrière par un serre-tête blanc, et qui, en plus de son cartable trop gros pour elle, tient dans ses bras un grand livre illustré de contes populaires racontés aux enfants.

Sans la quitter des yeux, Philippe observe Claire faire la bise à ses copines et rejoindre Sandrine, accompagnée d'un homme d'une quarantaine d'années, décontracté mais chic derrière ses lunettes de soleil. À sa vue, Claire ralentit imperceptiblement, puis reprend sa cadence normale.

Elle embrasse sa mère. Elle fait ensuite un pas en arrière et regarde alternativement Sandrine et l'homme à côté d'elle en serrant son livre contre sa poitrine.

— Tu dis pas bonjour à Laurent ?

— Bonjour Laurent...

— Bonjour jolie fée !

— Je suis pas une fée, je suis une princesse !

Laurent s'accroupit.

— Tu me fais un bisou ?

Claire s'avance et, les yeux au sol, du bout des lèvres, l'embrasse sur la joue.

— Laurent va venir passer le week-end avec nous chez Bon Papa et Bonne Maman, c'est chouette, non ?

Claire acquiesce mécaniquement.

— Tu vas voir, on va bien s'amuser tous les trois...

Un silence flottant tourne en piquet autour d'eux.

— Bon, on y va ? décrète Sandrine.

— Vos désirs sont des ordres, madame...

— Mademoiselle...

Laurent se tourne vers Claire.

— Tu veux que je te prenne ça ? lui demande-t-il, la main tendue vers son livre.

Elle refuse. Sa mère la dévisage.

— Claire, ne sois pas ridicule.

La petite recule et serre plus fortement le livre contre elle. Dans l'ombre de son renfoncement, Philippe sourit.

Laurent interroge Sandrine du regard. Elle hausse les épaules et se met en route. Claire leur emboîte le pas, marchant quelques mètres derrière eux.

Alors que ses yeux furètent sans raison de l'autre côté de la rue, ils se fixent sur l'ombre où se dresse la silhouette de Philippe. Elle s'arrête, plisse les paupières.

Sandrine se retourne vers elle.

– Qu'est-ce que tu fais Claire?

Claire dévisage sa mère un bref instant et revient à l'endroit où se tenait son père.

Sandrine rejoint sa fille.

– Qu'est-ce qu'y a encore?

Claire pointe son index vers le garage du trottoir d'en face. Sandrine fronce les sourcils dans cette direction.

– Tu as vu quelque chose?

– Y avait quelqu'un...

Sandrine observe avec plus d'attention. Ne voyant personne, elle prend la main de sa fille et l'entraîne à sa suite.

– C'est rien, ma chérie, juste une ombre sur un mur...

LUMIÈRES DE NOËL

LES AVENUES SONT ILLUMINÉES. Elles ont revêtu leurs habits de diamant. Les arbres des Champs-Élysées scintillent dans la nuit avec plus de brillance que la Voie lactée dans le ciel. Les vitrines miroitent de mille promesses et de mille surprises. Malgré la crise financière, les grands magasins grouillent comme des ruches ou des fourmilières au bord de la surpopulation, leurs caisses bouchonnent comme des péages un départ de 15 août. Les crépitements des cartes bleues fredonnent leur douce liturgie et attachent des paillettes de rêve aux cils des enfants. Du matin au soir, les rues ne sont qu'un défilé de manteaux, de blousons, d'écharpes, de gants, de bonnets. Elles bourgeonnent de sacs et de paquets cadeaux tous plus chatoyants les uns que les autres – rouges, mauves, bleus, verts, jaunes, argent, or –, constellés d'étoiles, de planètes, de bonshommes de neige, de traîneaux ou de sapins. Partout, les lumières de Noël déploient leurs plus beaux atours.

La nuit se lève tôt. Passé 16 heures, l'obscurité s'abat déjà sur la ville. Et avec elle, le froid. Lourd, intense, coupant. L'après-midi, les températures restent basses. Même quand le soleil brille, il ne réchauffe pas.

Dès que les ombres commencent à allonger leur foulée, les passants s'emmitouflent, se calfeutrent, pressent le pas. Ils sortent d'un magasin pour rentrer rapidement dans un autre, pour aller se blottir dans la douceur passagère d'un café, dans celle, transitoire, du métro ou de leur voiture, puis, enfin, chez eux, au chaud, portes closes.

Lui, se remet à marcher. Marcher pour ne pas s'engourdir. Marcher pour trouver un endroit où passer la nuit qui vient. Marcher pour conjurer le froid.

Cette demi-pénombre marque le début de sa véritable journée. Grâce au clair-obscur qui s'étend sur la ville, il réussit parfois à se glisser dans la chaleur des rayons d'un Monoprix, d'un Super U ou d'un magasin. Jeux de cache-cache avec les vigiles, fuites ou expulsions *manu militari*.

Puis les portes ferment. Seules les vitrines gardent la pose, figées dans leur blafarde et glaciale luxuriance. Restent alors les centres d'hébergement d'urgence, réouverts depuis le 1er novembre, à condition d'y trouver une place encore disponible. Ou sinon, jusqu'à une heure du matin, le métro. Et, à moins de réussir à se faire enfermer à l'intérieur, la rue et la nuit. Et là, au petit bonheur la chance, la tiédeur aléatoire d'une bouche d'aération inoccupée.

Quelques jours auparavant, les premières températures négatives ont été enregistrées. Le Samu social connaît des saturations. Le niveau 1 du plan de mobilisation hivernale est déclenché depuis le début du mois. Cependant, il faut descendre de quelques degrés encore pour lancer le niveau 2 : un thermomètre négatif dans la journée et compris entre – 5 °C et – 10 °C la nuit. Or, pour l'instant, la météo oscille entre + 2 °C et + 4 °C le jour, et seulement − 1 °C et − 3 °C la nuit. Il n'y a vraiment plus de saisons. Les experts invoquent le dérèglement climatique. Ils prévoient des mois à venir particulièrement rigoureux.

Début décembre. Officiellement, l'hiver commence à peine.

LE 115

IL MARCHE DEPUIS BIENTÔT DEUX HEURES. Son pas est lent, cassé. Toutes les bouches d'aération du métro sont déjà occupées par une ou plusieurs personnes. Les recoins et les renfoncements praticables également. De temps à autre, il s'arrête, ferme les yeux, son corps tanguant imperceptiblement contre lui-même. Graduellement, son vacillement gagne en amplitude, se mue en balancement jusqu'à ce que, manquant de basculer en avant ou en arrière, il sursaute et rattrape de justesse son équilibre. Il rajuste alors son sac, respire profondément, rentre la tête dans les épaules et reprend sa marche.

Plus tard, il coupe une place où se dresse l'une des rares cabines téléphoniques rescapées de l'apparition du téléphone portable. Avant de traverser pour rejoindre la chaussée d'en face, il regarde autour de lui, puis revient sur ses pas. Il entre dans la cabine, prend le combiné et compose le 115. Après deux sonneries, on décroche.

– Allô… marmonne-t-il précipitamment.

Un message enregistré s'enclenche et lui signifie que son attente n'excèdera pas dix-huit minutes. Il garde le combiné contre son oreille, avant de se mettre brutalement à frapper contre le coffrage en métal.

Ses coups s'espacent et se font moins violents jusqu'à cesser complètement. Sa main tremble. Il décroche de nouveau et rappelle. Là encore, deux sonneries, message sur bande, mais plus que quatorze minutes à patienter. Il soupire, s'adosse contre la paroi de verre de la cabine et rejette sa tête en arrière. Enfin, une voix humaine retentit à l'autre bout du fil.

— 115 bonsoir…

— Pour l'hébergement, c'est où?

— Excusez-moi, monsieur, mais pourriez-vous d'abord me dire où vous vous trouvez?

Il donne sa localisation.

— Ne quittez pas, je regarde s'il y a des places dans les centres à proximité et si une maraude patrouille dans votre secteur…

De nouveau, un message d'attente. Après quelques minutes :

— Je suis désolé, il ne reste des places qu'au CHAPSA de Nanterre. Mais les maraudes intra-muros sont débordées, vous devez vous rendre porte de la Villette par vous-même. En métro, ce n'est pas très loin d'où vous êtes…

Il raccroche. Il demeure comme paralysé, avant de prendre son sac et de sortir de la cabine.

Sur le trottoir d'en face, le M cerclé du métro.

LA BAPSA

IL SORT DU MÉTRO et interroge la nuit du regard. Il plisse les yeux, scrute plus intensément l'obscurité au-delà, quand il aperçoit un « Bleu », un policier de la BAPSA, Brigade d'assistance aux personnes sans abri. Derrière lui, à plusieurs mètres, ondoient des silhouettes sans forme, grisâtres comme le bitume et les murs du quartier. Non loin de là, se nichent les locaux historiques d'Emmaüs, le 1 bis, avenue de la Porte de la Villette, d'où l'abbé Pierre lançait son appel lors du terrible hiver 1954.

Il les rejoint et se glisse au milieu d'eux. Tous se tiennent à distance, seuls ou en petits groupes de deux ou trois. Ils sont une dizaine, hétéroclites et bizarrement assortis. Trois sont russes et discutent avec agitation. Ils ont une petite trentaine d'années. Ils sont propres et bien habillés : jean ou pantalon, chemise, pull, blouson en cuir, écharpe, gants, baskets. Quatre hommes aux visages sans âge, tous plus ravinés les uns que les autres, se passent une bouteille de vin en plastique, fument du tabac à rouler en échangeant des chiques informes de paroles. Leur accoutrement n'est qu'un amas de vieilles frusques dépareillées, empilées les unes sur les autres d'une manière anarchique. Leur odeur de tabac froid, de vin piqué, de sueur collée, d'urine séchée et d'excréments coagulés s'impose plus ou moins fortement au gré des rafales de vent. Un peu plus à l'écart, un couple, la vingtaine, les cheveux hirsutes, tous deux enlacés, tatoués et percés de part en part. Et puis, seule, une femme d'environ vingt-cinq ans, rachitique, ravagée et abîmée, les yeux vitreux d'une pupille trop dilatée.

À son arrivée, les regards l'envisagent tour à tour, de biais, avant de rouler sur lui avec l'indifférence des grands désabusés de la rue. Il rajuste son sac, enfonce profondément ses mains dans les poches de son blouson, rentre le menton et attend.

L'un des quatre pochards passe derrière lui et, titubant, va pisser contre un mur. Lorsqu'il a fini son ouvrage, il s'approche de lui. Avec son pantalon rouge, son long manteau de laine gris et son bonnet à pompon, il a des allures grotesques de clown triste.

— T'es nouveau, toi?

Sa voix est rauque, enrouée de goudron et empestée de vinasse.

— Pas vraiment, répond-il.

— Moi je suis là depuis vingt ans, mon gars, ouaip, vingt ans! Nanar, Nanar du trottoir même qu'on m'appelle, ouaip!

Ils s'observent, se jaugent. Nanar du trottoir le scrute de son œil le moins clos, injecté d'alcool. Son visage est strié en peau de testicules brune. Il continue de parler.

— Un jour, plus de boulot... pas de femme... parents crevés... Hop, mon gars, terminé, ouaip!

Il tire une bouffée de son mégot mal roulé et le lui tend. Il refuse.

— C'est quoi qui t'amène?

— Ma femme, elle m'a viré.

— Ma pute aussi, elle m'a viré… Ouaip, y a deux ans… Ouaip, toutes des putes!… TOUTES DES PUTES!!!

Ses trois acolytes grognent des mélanges d'«Enculé!», «Ta gueule!», «Écrase ta couille, putain!». L'espace de quelques instants, les quatre compères du goulot échangent des insultes – «Gogue ambulant!», «Vieux glaviot», «Courante sur pattes!» – puis un calme relatif s'installe de nouveau entre eux. Il reste à proximité de lui, à marmonner dans le vide des propos incompréhensibles. Après un bon quart d'heure d'attente, Nanar s'anime derechef, le regard rivé vers l'angle de l'avenue.

— V'là les Bleus!

Il tourne la tête dans cette direction. Un bus s'approche d'eux. Tous se mettent à rassembler leurs affaires avec une molle confusion.

— T'as du pot le nouveau, y z'ont sorti la maraude mère pour ton baptême!

Il éclate d'un rire terrible, découvrant sa dentition poinçonnée, et rejoint ses compagnons de bouteille.

Lentement, les passagers s'agglutinent dans le sillage du policier en faction. Le bus accoste. Deux policiers supplémentaires de la BAPSA en descendent et se placent de part et d'autre des portes. La procession s'engage. Ils montent un à un, appelés par leur année de naissance. Malgré cette procédure, les Russes passent d'autorité les premiers. Ensuite, les quatre clochards. Puis lui, et enfin le jeune couple. À chacun d'eux, un agent de police assis derrière le conducteur demande nom, prénom et date de naissance. Lorsque vient son tour, il commence à tâter ses poches. Le conducteur l'arrête.

— Pas la peine, j'ai pas besoin de papiers…

Il décline son identité. L'agent de police la note. Il traverse le bus. Il y a une soixantaine de places. Les Russes sont assis dans les premières rangées. Ils occupent une banquette entière. L'un d'eux se cure négligemment et dissuasivement les ongles avec un couteau. Au fond, les quatre du macadam. Il s'assoit à mi-chemin, entre les deux groupes. Le couple se pose quelques sièges derrière lui tandis que les deux Bleus descendus pour les accueillir prennent place à l'avant, derrière une vitre les séparant du reste du véhicule. La junkie n'est pas montée, elle a disparu.

Les portes se referment. La maraude s'ébranle péniblement, cahote les premiers mètres, et le convoi s'élance.

DANS LE VENTRE
DE LA MARAUDE MÈRE

LE DÉBUT DU TRAJET se déroule sans incident notoire. Les trois Russes se repassent un petit flacon dont ils prennent de profondes inhalations. Au fond, la bouteille en plastique continue de circuler entre les quatre ivrognes. En vase clos, leur odeur fétide commence à imprégner plus nettement et plus profondément l'air. Le couple de jeunes tourtereaux ne bouge pas, toujours enlacés, indifférents à la situation, leurs regards perdus dans les lumières au-delà de la vitre.

Après plusieurs arrêts, ils sont maintenant vingt-trois. Les ont rejoints une poignée de nouveaux passagers, majoritairement originaires du Maghreb ou des pays de l'Est, et, à l'exception de deux autres Nanar du trottoir, plutôt propres sur eux dans l'ensemble. Deux autres Russes se sont assis avec les premiers. Ils ont échangé de vigoureuses et chaleureuses accolades. L'atmosphère est un peu plus animée, et plus chargée de miasmes putrides, mais reste globalement calme.

À seulement quelques kilomètres de Nanterre, le bus entre à La Garenne-Colombes. Il se gare place de Belgique pour une dernière et ultime escale. Le terre-plein est noir de monde. Plus d'une centaine de sans-abri s'agglutinent au pied des portes de la maraude en une masse indéterminée, mouvante et grondante comme un océan agité par la houle. Ça se pousse, ça gueule, ça s'invective.

Pendant plus d'une heure et demie, ils embarquent un par un à l'appel de leur année de naissance. Les Russes dégagent violemment ceux dont les exhalaisons putréfiées trahissent la trop longue ancienneté sur le bitume. L'un d'eux refuse d'aller s'asseoir plus loin. Le ton monte. Bousculades, insultes, menaces en deux langues qui s'entrechoquent, empoignades, coups désordonnés, jusqu'à ce que le Moscovite au couteau dégaine sa lame et la presse fermement contre la gorge du récalcitrant. Les brigadiers sont trop occupés à contenir la foule de plus en plus hargneuse à l'extérieur pour remarquer ce qui se passe ni intervenir de quelque manière que ce soit sans risquer l'émeute et le débordement. Le ton finit par redescendre. L'homme s'éloigne en titubant, maugréant entre ses dents des « Enculés de Ruskofs de mes deux ! », « Fils de pute d'étrangers » et autres « Vermines d'immigrés ! ».

Un autre clown triste interpelle son collègue d'asphalte :

– Ouais, tous des raclures de métèques de merde !... Y nous volent tout... Boulots... femmes... allocs... Même la misère... Sales races !... Mais un jour, la septième trompette... et le Front... et le borgne... Jean-Marie... pour la France !...

Il se signe et se met à prier en psalmodiant des paroles confuses et incompréhensibles.

La température grimpe à mesure que le bus se remplit et, avec elle, la pestilence infecte définitivement l'air de ses effluves enveloppants et collants, gâtés de sueur, de semelles moites, de jus de pied, d'urine aigre, de pets frelatés, de vin piquant et de cendres froides.

Lorsque les portes se referment, laissant certains sur le goudron glacé du terre-plein, l'atmosphère est électrique, bruyante et irrespirable. Les quatre pochards du fond s'esclaffent devant la traînée brunâtre qui s'échappe en courant sur le sol du pantalon d'un de leurs congénères. Le jeune couple n'a pas bougé, toujours perdu dans la contemplation extatique de la vitre.

La maraude s'ébranle enfin, claudique un instant sous les huées de ceux qu'elle abandonne sur le trottoir gelé, et disparaît vers sa destination finale, happée par la nuit.

TERMINUS

LES PORTES S'OUVRENT devant le 403 avenue de la République à Nanterre et vomit par à-coups la marée noire de ses passagers. D'autres policiers et des membres du personnel du CHAPSA les encadrent. De temps en temps, des quolibets fusent entre les deux factions.

– Encore toi! T'as pris un forfait illimité ou quoi!

– Illimité dans ton cul, ouais, le forfait!

– Allez, allez, on se dépêche!

Certains s'arrêtent et se mettent momentanément au garde-à-vous.

– Allez, plus vite!

– Ah! Nanar le trottoir!

– *Du* trottoir, bougre d'empaffé! Ouaip, Nanar *du* trottoir!

Le cortège chemine chaotiquement jusqu'à l'intérieur et rejoint une faune tout aussi hétéroclite et dépareillée, arrivée plus tôt.

À cette heure-ci, le rez-de-chaussée est encore à peu près propre. Un couloir central dessert un comptoir, des guichets, des casiers nominatifs surveillés et des toilettes. Là, chacun reçoit un petit bout de papier sur lequel il inscrit son nom.

Commence alors une interminable attente administrative pour remplir un formulaire et obtenir une petite carte bleue où sont imprimés le nom et le numéro de lit attribué. Au fil des minutes qui s'additionnent, la tension et la température montent comme sur le terre-plein de La Garenne-Colombes. Ils ne sont que trois membres du personnel, trois hommes, pour prendre en charge la soixantaine qui vient de débarquer.

– C'est votre première fois ici? lui demande l'un d'eux.

Il acquiesce silencieusement. L'homme continue de remplir la fiche.

– Pas d'hépatite? de sida?

Il fait plusieurs « non » de la tête.

– Bon, vous allez bientôt pouvoir aller manger...

L'homme range son stylo dans la poche extérieure de sa blouse.

– Vous voulez déposer votre sac ou vous préférez le garder avec vous?

Il regarde en direction des guichets.

– Ne vous inquiétez pas, ils sont surveillés.

Il hausse les épaules et lui emboîte le pas. L'homme échange quelques mots avec celui préposé à la sécurité des casiers.

– On a un problème informatique, ils n'auront leur carte qu'après le réfectoire...

– T'as son numéro?

L'homme regarde sa fiche.

– 217.

Il dépose son sac dans un casier libre où sont notés son nom et son numéro. L'ensemble ressemble à une décharge publique compartimentée.

– Je vous donnerai votre carte après le repas, lui dit l'homme en s'éloignant vers quelqu'un d'autre.

Et, de nouveau, l'attente.

Puis vient enfin l'heure du dîner.

LA PART DU PAUVRE

IL ENTRE DANS LE RÉFECTOIRE, une large salle où s'alignent de grandes tables en formica rongé et arraché par endroits. La pièce est percée de nombreuses fenêtres pour laisser entrer la lumière du jour. De nuit, avec l'éclairage froid des néons, elles ne renvoient que les reflets brouillés, dédoublés et tremblants des convives.

Au milieu d'un brouhaha de couverts, il rejoint une table où sont assis le couple de jeunes tourtereaux et trois hommes d'une trentaine d'années, en costume et chemise ouverte. Au pied de deux d'entre eux, des sacoches d'ordinateur portable.

Ils se dévisagent, puis les conversations reprennent.

– Et avec ton smic, tu trouves toujours pas d'appart?
– Comme toi!
– Tu bosses à la mairie quand même, merde!
– Je suis vacataire, c'est pire qu'un CDD…
– Et toi, t'avais un plan, non, pour une piaule?
– Ça l'a pas fait…
– Putain, c'est fou ça aussi!

Devant lui, un bol ébréché et une cuillère en inox. Pas de couteau. Aux odeurs de soupe se mêlent des relents de toutes ces puanteurs corporelles attablées ensemble.

On dépose une marmite en ferraille et quelques morceaux de pain sec. Tous se servent. Les discussions se poursuivent. Il mange en silence. Une chaise reste vide, la part du pauvre.

Aux autres tables, ça grogne, ça braille, ça gueule, Nanar du trottoir en tête. Les Russes ont fait place nette autour d'eux. Plus loin, le disciple du borgne se lève à l'arrivée de la soupe et commence à dire les bénédicités.

— Bénis ce repas Seigneur…

Certains retirent leurs bonnets, se signent, joignent leurs mains, ou, au contraire, rient grassement, lancent des « Ta gueule ! », des « Suce ma bite ! », des « Pédé ! », lui jettent des bouts de pain.

Il termine sa pitance, donne son bol vide au chariot passant dans la travée et va pour quitter le réfectoire.

Au moment de franchir la porte, il croise l'homme avec qui il a rempli son formulaire d'admission.

— Tenez, voici votre carte. Le numéro est aussi celui de votre lit, au deuxième étage.

Il la prend.

— Gardez-la sur vous en permanence et tâchez de ne pas la perdre surtout, vous en aurez besoin pour récupérer votre sac.

Il la glisse dans la poche avant de son pantalon.

— Demain matin, si vous le voulez, vous pourrez voir une assistante sociale ou un éducateur.

Il sort.

— Bonne nuit…

UNE LUCARNE VITRÉE OUVERTE
SUR LE MONDE

IL DÉAMBULE QUELQUES INSTANTS dans les couloirs. Il s'arrête devant la porte entrouverte d'une salle où, derrière une vitre de sécurité, à deux mètres de hauteur, trône un téléviseur. Assis sur des chaises, une dizaine de pensionnaires regardent le Soir 3 en se passant plusieurs bouteilles de vin en plastique.

Il s'appuie dans l'encadrement de la porte. La lucarne ouverte sur le monde diffuse un reportage sur la grande nuit de mobilisation organisée place de la Bastille. Avec les températures de ces derniers jours, les sujets consacrés aux SDF fleurissent prématurément sur les marronniers de la presse. Dans l'espace du petit écran, défilent des stars de cinéma, des personnalités médiatiques, des hommes et des femmes politiques de tout bord ou de simples anonymes, tous concernés par « ce drame humain », pénétrés de « solidarité », indignés par ces « tragiques conditions de vie ». Sous l'œil de la caméra, les visages sont graves ; les regards, les voix et le ton, solennels.

— Les promesses gouvernementales n'ont pas été tenues !

— J'ai personnellement demandé la mise en place d'une commission d'urgence pour étudier ce sujet sensible…

— C'est une question qui nous interpelle tous ! Il en va de la dignité humaine !

— Il est inadmissible que des hommes et des femmes meurent toutes les nuits dans l'indifférence générale! En France, pays des droits de l'homme!

Dans la salle, les huées s'élèvent au milieu des rires et des grognements :

— C'est ça! Retourne bourrer ta pute!

— Ouais, pénétré dans ton cul!

— Tout ça, ça dort au chaud!

— Bourges de merde!

— Trois p'tits tours et puis nous enculent!

— C'est pas Dudu derrière?

Jusqu'à ce qu'une bouteille à moitié vide aille s'écraser contre la vitre de sécurité.

— Putain, Marcel, le pinard!

Empoignades chancelantes et éclats de rire gras.

Il se dégage de l'embrasure de la porte et tourne les talons.

COUVRE-FEU

AU DEUXIÈME ÉTAGE, il trouve sa chambre, une petite pièce avec trois lits superposés. Chacun d'eux est numéroté. À l'autre extrémité, une porte ouvre sur des douches et des sanitaires individuels.

Il rejoint sa couchette. Celui qui dormira au-dessus de lui est allongé. La quarantaine, globalement propre sur lui, il fume une cigarette. Ils échangent un regard, mais pas de mots. Quant à ses autres compagnons de nuit, certains sont déjà recroquevillés sous leurs couvertures, d'autres finissent de se déshabiller, libérant leurs profonds fumets corporels. Deux d'entre eux sont des homologues de Nanar du trottoir. À mesure que tombent les différentes épaisseurs de leurs vêtements, apparaissent leurs ventres distendus, leurs bras et leurs jambes squelettiques. Le rouge-brun de leur visage, de leur cou, de leurs mains et de leurs pieds tranche avec le blanc chair de poulet du reste de leur corps, strié de veinules vertes et parsemé d'escarres.

L'un des deux clowns intercepte son regard.

– Eh ouais, p'tit gars, lui lance-t-il, bronzage crado, bronzage clodo!

Ricanements de son acolyte du macadam. Il se détourne sans rien dire et déplie ses couvertures. Le matelas est recouvert d'une housse en plastique blanc, maculée, çà et là, de taches brunâtres. Alors qu'il prépare son lit, il fronce les sourcils : sur le marron de la laine scintillent de microscopiques points gris clair. Des parasites.

— Hé le bleubite, l'interpelle encore le clown en se grattant le ventre, fais pas cette tête! Si t'as pas de bébêtes en entrant à Nanterre, t'en auras en sortant!

Nouveaux ricanements. Dans le couloir, passe un membre du personnel.

— Allez, allez, tout le monde, extinction des feux!

Les deux clones de Nanar grognent dans leur barbe des « Nazillon de mes couilles! », « C'est pire qu'à l'armée, cette taule! » et se couchent. L'un des deux attache les lacets de ses chaussures et les passe autour du cou.

Il retire les couvertures et l'oreiller, qu'il balance sous le lit, et s'allonge.

Quelques minutes plus tard, les lumières s'éteignent. Les fenêtres n'ont pas de rideaux. Dehors, la nuit est blême. Une lune pâle inonde la pièce.

Il ferme les yeux.

Nuit sans trêve

APRÈS QUELQUES INSTANTS de quiétude, les deux clowns ouvrent la grande sarabande nocturne.

— Hé Pierrot, fais péter le pinard!

Bruits de sac, de plastique froissé, glouglous à fortes et longues déglutitions.

— Putain, bois pas tout, enculé!

Rot sonore et caverneux.

— Ça va! Deux minutes quoi, je me désaltère un poil!

La réaction des autres colocataires ne tarde pas.

— Vos gueules les clodos!

— Hé, t'es quoi toi? La reine d'Angleterre peut-être!

— La ferme, fils de pute!

— Ouais, viens le dire ici, sale bâtard de métèque!

Certaines remarques fusent dans des langues étrangères, slaves ou maghrébines, interrompues soudain par un pet huileux.

— Putain, faut que je chie!

Grincements d'un lit d'où quelqu'un descend périlleusement. Et, depuis la porte ouverte des sanitaires, le concert liquide des intestins et de la diarrhée.

Puis la fatigue et le froid accumulés pendant le jour finissent par triompher du chaos ambiant. Commence alors une symphonie gastrique et rhino-pharyngienne. Ce ne sont plus que ronflements de chaudière, gargouillements d'estomac, flatuosités, raclements de gorge, râles, quintes de toux sans fin flirtant avec l'étouffement. Et avec ça, les arias olfactives muettes, empoignantes et gluantes, faisandées de sueur, d'aisselles moites, de jus de pied, d'haleines viciées de vins frelatés et de gelées de cendres.

Sur son lit, il tourne, se retourne. Le sommeil lui glisse des mains comme un filet de sable. Il s'assoit, regarde sa montre dans le clair de lune baignant la pièce : 3 h 15.

Il se lève, descend au rez-de-chaussée. La même musique de plomberie organique filtre des autres chambres. Certains dorment par terre dans les couloirs. En bas, un vieux de l'asphalte ronfle assis contre un mur, le coude dans son vomi.

Il va dans les toilettes près des casiers. Une partie du sol est trempée d'une urine jaunâtre tirant sur le brun. Un étron bouche l'un des urinoirs. Il pisse rapidement dans un autre et revient dans le hall d'entrée. Personne.

Il erre encore un long moment dans les couloirs et finit par se retrouver devant la salle de télévision. Elle est déserte. Le téléviseur, éteint. Des chaises sont renversées. Des bouteilles en plastique vides jonchent le sol. Des coulées rouges rappellent celle jetée plus tôt contre la vitre protégeant l'écran.

Il s'assoit, appuie sa tête contre le mur, ferme les yeux et s'endort.

Il est un peu plus de 4 heures du matin.

No man's land

DES PAS LE RÉVEILLENT EN SURSAUT. Il regarde sa montre : il est bientôt 6 heures.

Il quitte la salle de télévision et circule dans les couloirs, jonchés de détritus ou de liquides indéterminés. Le vieux dort toujours assis contre le mur, le coude fossilisé dans son vomi coagulé. La pestilence des étages s'est répandue dans l'ensemble du bâtiment. Elle stagne à la manière d'une nappe invisible et compacte, qui imprègne lourdement l'air comme du tabac froid. Tout est calme.

Il rejoint le réfectoire, encore totalement vide à cette heure. Quelqu'un sort des cuisines.

— À partir de 7 heures pour le petit déjeuner!

Il fait demi-tour et revient dans le hall d'entrée. Des membres du personnel vont et viennent, le saluent d'un mouvement de tête évasif.

Il sort dans la cour, ferme son blouson, coiffe son bonnet, allume une cigarette et respire l'air glacial du matin.

Les lampadaires éclairent la rue. Ils jettent sur ce décor des traînées de lumière blêmes. Le ciel est encore noir et parsemé d'étoiles.

L'aube ne vient pas.

On ira tous au paradis

Il sort du **CHAPSA** et dérive au gré des trottoirs. Il traverse un pont, tourne à gauche et s'engage dans une rue mal éclairée aux allures de petit chemin goudronné. Il longe un hangar devant lequel sont empilés des tuyaux. Au-delà, se dressent des entrepôts et des usines de la zone industrielle de Nanterre. Il échoue devant une pancarte attachée à un poteau avec du fil électrique, où est écrit « cimetière ».

Il escalade le portail et s'enfonce dans les allées, éclairées uniquement par les résidus de la nuit finissante.

À l'entrée, les tombes baignent dans l'herbe. Elles sont fleuries, décorées de Christ crucifiés, d'anges, de fer forgé, ornées de plaques déclinant la longue litanie des regrets envers le défunt enterré.

Puis, progressivement, l'herbe disparaît et cède la place à un sable instable où il s'enfouit en tanguant à chacun de ses pas. Les croix aussi penchent les unes contre les autres. Les tombes sont dépouillées. Pas de marbre, d'anges ou de fleurs.

Ici gisent en majorité les anciens pensionnaires du Centre d'hébergement et d'aide aux personnes sans abri. La CHAPSA aura été leur avant-dernière demeure.

Il quitte le sentier principal et serpente au milieu des sépultures. Les plaques sur lesquelles sont inscrits les noms, les dates de naissance et de décès sont déjà presque toutes rongées et effacées. Certaines ne tiennent plus sur les bras des croix qu'accrochées par un de leurs boulons d'origine, d'autres sont tout simplement tombées et disparaissent dans le sable.

Il revient sur le sentier et bifurque dans une nouvelle allée bordée de marronniers. Dans une rangée, les croix sont plus petites : le quartier des enfants morts. Il zigzague longtemps entre les tombes et s'approche de l'une d'elles à l'inscription lapidaire : « Horn. Mort-né ».

Il retire son bonnet, baisse la tête, joint les mains et ferme les yeux dans une attitude de profond recueillement.

Les étoiles se sont éteintes. La noirceur du ciel s'estompe dans une blancheur exsangue. L'aube n'est plus loin.

Matin blême

Lorsqu'il revient au centre, le personnel d'entretien nettoie l'entrée et les couloirs attenants. Les senteurs de Javel se mêlent aux relents putrides de la nuit.

Il montre sa carte et se rend au réfectoire. Un jour timide entre à flots dans la pièce. Malgré sa douceur, il creuse plus cruellement encore des visages cernés de lassitude et labourés d'épuisement.

Une bonne partie des pensionnaires est déjà là. La plupart sont assis à la même table que la veille, regroupés par familles de misère comme autant de bouquets fanés. Les Russes sont entre eux, seuls. Nanar et son acolyte sont côte à côte. Comme beaucoup de leurs homologues du bitume, ils jouent à la bloblotte, à celui qui tremble le plus en essayant de porter son bol à ses lèvres.

Il traverse la salle et rejoint la table où il était installé hier. Les trois trentenaires en costume et chemise finissent leur café et ne lui accordent qu'une attention discrète. Il boit le sien en silence. Alors qu'il se lève pour partir, le couple de jeunes tourtereaux arrive et prend place. Ils échangent un salut de la tête et il quitte le réfectoire pour aller récupérer son sac.

Dehors, des maraudes attendent pour canaliser le reflux jusqu'aux portes de la capitale.

Son sac posé à ses pieds, il fume une cigarette roulée en regardant le début de la procession. Ça titube, ça se bouscule, ça beugle.

Soudain, Nanar du trottoir s'écarte du cortège et tombe à terre, les yeux révulsés et le corps secoué de spasmes violents. Un membre du personnel se précipite, s'agenouille, soulève sa tête, met la main dans sa bouche et dégage sa langue.

Lorsque la crise est finie, Nanar rouvre des yeux hébétés.

– Ça va? lui demande celui qui l'a empêché d'avaler sa langue.

– Ben ouaip… Et toi?

Nanar se relève et regagne sa place dans la file avec son compère. Une fois remplies, les premières maraudes démarrent et s'éloignent.

Il écrase sa cigarette, jette son sac sur l'épaule et sort à pied dans la rue.

N'HABITE PLUS À CETTE ADRESSE

L E 29 DÉCEMBRE, fin d'après-midi. La nuit tombe avec sa chape invisible et glaciale.

Devant une cabine téléphonique, il regarde à gauche, à droite, compte et recompte sa maigre monnaie, tire la dernière bouffée de sa cigarette roulée, l'écrase sous son pied. Il met les mains dans les poches, attend, la jambe nerveuse. Puis il entre dans la cabine.

Il décroche le combiné, introduit les pièces nécessaires, compose le numéro de son ancien domicile conjugal. Après trois sonneries, quelqu'un décroche.

— Sandrine ?...

— Ah, vous devez faire erreur monsieur, il n'y a pas de Sandrine ici...

Une voix de femme inconnue, d'un certain âge. Il reste interdit.

— Je ne suis pas au 01 53 49 28 64 ?

— Si, mais il n'y a personne du nom de Sandrine.

C'est une voix douce, calme.

— Je... Pardonnez-moi, je suis divorcé d'avec ma femme, et... enfin, j'habitais à ce numéro avec elle et ma fille, avant...

– Sandrine Moncin?

– Oui, c'est ça…

Un silence.

– Et… Vous sauriez pas où je pourrais la joindre par hasard? C'est l'anniversaire de ma fille aujourd'hui et…

– Non, navrée, je ne l'ai croisée que le jour où nous avons visité la maison avec mon mari…

– Ah… Ben… Merci… Pardon pour le dérangement…

– Pas de problème. Encore navrée de ne pas pouvoir vous être utile. Bonnes fêtes…

Il raccroche. Hébété, il sort ses pièces de monnaie, les compte une nouvelle fois, décroche.

– 118 218 bonsoir!

– C'est pour un renseignement…

– Votre demande concerne quelle ville?

– La Région Île-de-France.

– Je vous écoute.

– Je cherche le numéro de Sandrine Moncin.

– M, O, N, C, I, N?

– Oui…

– Un instant…

Cliquetis des doigts sur un clavier d'ordinateur.

– Désolé monsieur, Mme Moncin est sur liste rouge…

Il ferme les yeux, se mord les lèvres.

– … Je ne peux malheureusement pas vous communiquer son…

Il raccroche et frappe de toutes ses forces avec le combiné contre le coffrage métallique.

Il pleure.

D'une main tremblante, il pousse la porte vitrée et sort de la cabine. Il traverse la rue, va au Franprix.

Il en ressort accompagné d'une bouteille de Villageoise.

BOUFFER. SOUPE POPULAIRE. Restos du Cœur.
Chier. Coins sombres. Chiottes publiques gratos.
Boire. Robinets métro. Fontaines publiques.
Pisser. Coins sombres. Murs.
Propre. Gares. Robinets métro.
Pioncer. Métro. Cartons. Bouches d'aération.
Marcher. Se réchauffer. Boire. Pisser. Faire manche. Chier.
Date journaux. Pioncer. Compter jours. Bouffer. Restos du Cœur.
Trouver fringues. Secours catho. Emmaüs. Penser à Claire.

Se réchauffer. Marcher. Chier. À vot' bon cœur m'sieurs
dames. Rester homme. Pas virer cinglé. Pisser. Compter jours.
Boire. Lavomatique. Manche. Journaux. Chier. Marcher. Chaud.
Pioncer.

Pas finir givré. Pas crever.

Manche. Bouffer. Soupe popu. Pompes et chaussettes.
Emmaüs. Pisser. Pioncer. Boire. À vot' bon cœur. Secours
catho.

Pas craquer. Bouffer. Pioncer. Boire. Alcool. Vinasse.

Pas clamser.

Pas crever.

Pas congelé.
Pas la gueule ouverte.
Pas comme un clebs.

BONNE ANNÉE

Noël et ses lumières de fête glissent dans l'oubli. Les avenues ne sont plus illuminées. Elles retrouvent leurs façades brutes. Les arbres des Champs-Élysées exhibent de nouveau leurs branches dépouillées. Pourtant, les rues ne désemplissent pas. Les vitrines continuent de faire miroiter mille promesses et mille surprises, grâce à un mot et des chiffres magiques : « Soldes », « – 30 % », « – 40 % », « – 50 % », « – 60 % », « – 70 % ». La chasse au trésor est ouverte. Les grands magasins grouillent comme une prison au bord de l'insurrection, leurs caisses bouchonnent comme les épiceries à la belle époque des tickets de rationnement. Les cartes bleues, dégainées avec une hystérie compulsive, carbonisent les découverts bien au-delà des étrennes reçues quelques semaines auparavant. Du matin au soir, les rues ne sont qu'une farandole de sacs au contenu déjà mort et démodé. Un printemps précoce brille dans tous les regards.

La nuit tombe un peu moins tôt. Quelques dizaines de minutes plus tard, qui rapprochent un peu des beaux jours, de l'été et de ses plages de sable chaud. Malgré ce sursis, le froid persiste. Les températures sont négatives le jour et comprises entre – 5 °C et – 10 °C la nuit. Le niveau 2 du plan de mobilisation hivernale, le « plan grand froid », a été déclenché. L'hiver est enfin là, et ressemble vraiment à l'hiver.

L'année commence bien.

Le bout de la nuit

— Monsieur...

La main qui secoue son épaule le réveille. Penchés sur lui, deux agents du service de sécurité de la RATP. Il cligne des yeux, les ouvre péniblement. À côté de lui, une bouteille de Villageoise entamée.

— Le métro ferme, vous pouvez pas rester là...

— ...

— Si vous voulez, la Régie peut vous conduire porte de la Villette pour aller à Nanterre...

Il se lève dans un grognement, prend rageusement son sac et, sa bouteille à la main, quitte la station. Derrière lui, les grilles grincent et claquent en se refermant.

La rue de la Gaîté est bientôt déserte. Les bars ferment. Seules clignotent encore les enseignes des sex-shops. À peine l'ombre d'un chien errant, qui apparaît entre deux crachats de lumière.

Il marche, tourne et retourne dans la nuit. Recroquevillé sur lui-même. Ne se redressant que pour shooter violemment dans une cannette vide ou boire un peu de vin au goulot. Pas lent, cassé.

Toutes les grilles d'aération du métro à proximité desquelles il passe sont déjà occupées par une ou plusieurs personnes. Les recoins et les renfoncements praticables et à l'abri du vent également.

Il remonte le boulevard Edgar-Quinet, scrute l'obscurité. Une bouche est libre. Il regarde à droite, à gauche. Personne.

Il s'assoit dessus, frissonne. Ses cheveux volettent au gré du souffle d'air chaud. Il boit quelques gorgées de sa bouteille, dépose son sac sur ses genoux, l'ouvre.

Alors qu'il va en sortir duvet et cartons, une voix avinée retentit derrière lui.

— C'est pas bien de squatter chez les gens…

Ces quelques mots sont relayés par des « Ouais ! », « Enculé ! » et autres grommellements.

Il tourne la tête : trois hommes viennent dans sa direction. Ils ont trente, quarante ans. Des Nanar du trottoir en puissance, plus jeunes et mieux portants. Ils s'immobilisent à l'orée de la grille.

Il referme son sac, reste assis.

— Allez, trou du cul, dégage !

Il se lève, ramène ses affaires à ses pieds et se retourne vers eux.

— Gentil garçon… commente la même voix avinée, manifestement celle du chef des deux autres. Tu peux laisser le pinard, ajoute-t-il.

Tranquillement, Philippe sort son sexe et commence à uriner sur la bouche d'aération. Stupéfaits, les trois restent sans bouger. Le chef se rue sur lui.

— Espèce de fils de pute !

Il le bouscule violemment, l'envoyant valser au sol un peu plus loin, se jette sur lui et lui assène plusieurs coups de pied. Il

178

va lui en mettre un autre, lorsque Philippe se redresse, lui attrape les couilles à pleines mains et les serre de toutes ses forces avec un léger mouvement de torsion. Son assaillant pousse un beuglement à s'en écarteler la mâchoire et s'écroule, plié sur lui-même, les mains entre ses jambes.

Les deux autres se précipitent et le frappent à leur tour. Leur chef se relève et sort un couteau.

– Écartez-vous !

Les coups cessent. Ils s'exécutent.

– J'vais te saigner, fils de pute !…

Il fait un pas en direction de Philippe, quand un chien surgit de l'ombre, bondit et enfonce profondément ses crocs dans le bras tenant l'arme. Le chef hurle de douleur, lâche le couteau, qui tombe sur la grille. Ses deux complices ont un mouvement de recul et de repli.

– Il a un clebs, l'enculé ! lâche l'un.

– Putain de merde ! s'exclame l'autre.

Lentement, grognant, la tête rentrée dans les épaules, les babines retroussées, les crocs saillants, le chien vient se placer entre eux et Philippe. Une boule de poils est hérissée sur son dos. Ses oreilles sont rabattues en arrière, collées contre son crâne. L'une d'elles, la gauche, porte une profonde entaille.

Il leur fait face, aboie plusieurs fois en projetant son corps en avant, se rassemble sur lui-même sans cesser de grogner, comme s'il allait s'élancer, aboie de nouveau en s'avançant. Les autres reculent de quelques pas.

Philippe se relève en toussant et en se tenant les côtes. Les trois hommes et lui se dévisagent longuement.

Il s'avance, récupère son sac et, avec une grimace, passe la lanière autour de son épaule.

Il échange un dernier regard avec ses agresseurs, puis, suivi du chien marchant à reculons, toujours menaçant, il disparaît sur le boulevard.

À LA DÉROBÉE

IL MARCHE UN LONG MOMENT avant de s'asseoir sur un banc. Il dégage son épaule de la lanière du sac, s'appuie contre les planches du dossier, allume une cigarette et rejette sa tête en arrière.

Le chien, resté quelques mètres derrière lui, s'immobilise à son tour. Il commence à flairer par terre, suit une odeur jusqu'à un arbre, renifle plus intensément, s'arrête, se redresse et lève la patte contre le tronc en tournant la tête avec un air digne et dégagé. Cela fait, il vérifie qu'il a bien marqué son territoire, s'éloigne de plusieurs enjambées et s'assoit de trois quarts face à la route.

Il reste là, à regarder droit devant lui, dressant parfois les oreilles, puis les relâchant. De temps à autre, il lance de discrets coups d'œil en direction de Philippe. Celui-ci se penche en avant, pose les coudes sur ses cuisses et, lui aussi, regarde quelquefois le chien, à la dérobée.

À un moment, leurs yeux se croisent. Le chien les détourne immédiatement et lève instantanément les oreilles comme s'il avait aperçu quelque chose ou quelqu'un, puis les laissent retomber.

Philippe sourit, s'appuie de nouveau contre les planches du dossier. Il essaie de siffler, mais ses lèvres gercées ne produisent qu'un filet de son dérisoire. Il écrase sa cigarette et tapote alors sur le banc.

Le chien se retourne, ouvre la gueule, s'approche en boitillant faiblement et vient s'asseoir à ses pieds. Philippe commence à le caresser doucement. Le chien lui lèche la main et pose la tête dans sa paume.

– Merci...

De son autre main, il lui gratte la joue, le cou, lui lisse les oreilles. Sans le quitter du regard, le chien cligne des yeux et commence à pousser de petits ronflements étouffés.

Philippe se lève et prend son sac. Les yeux toujours rivés sur lui, le chien fait quelques pas sur le côté, la tête basse et le dos courbé.

Philippe rajuste son sac sur son épaule, fait mine de s'éloigner, s'arrête, se retourne. Le chien le dévisage.

D'un mouvement enveloppant de la tête, Philippe lui fait signe de le rejoindre. Le chien accourt en remuant la queue et, ensemble, ils se mettent en marche.

BAIL À CÉDER

ILS CHEMINENT UNE BONNE DEMI-HEURE, côte à côte. Le chien marche en regardant sans cesse à droite, à gauche, le torse bombé, les oreilles et la truffe en alerte.

À un croisement, alors que Philippe s'engage dans la rue de gauche, il se fige et le fixe en remuant la queue.

— Qu'est-ce qu'y a ?

Il aboie. Philippe lui caresse le haut du crâne.

— Hein, qu'est-ce que tu veux me dire ?

Le chien fait trois pas de côté vers l'autre rue, s'arrête comme s'il l'attendait.

— Tu veux aller par là, c'est ça ? lui demande Philippe en désignant de l'index la rue de droite.

Le chien aboie, remue la queue de plus belle en trépignant sur place.

— Ok, allons-y…

Il lui emboîte le pas. Le chien trottine, le devance. Il accélère comme il peut en se tenant les côtes. Le chien file à droite, à gauche, encore à gauche, à droite.

— Mais où tu m'emmènes comme ça ?

À chaque coin de rue, le chien s'assoit, aboie et attend Philippe.

— Ça va, ça va, j'arrive…

Ils débouchent finalement sur une avenue. Le chien se met à courir et disparaît soudain dans un renfoncement, comme s'il était entré quelque part. Philippe arrive et découvre une boutique dont l'entrée, surélevée de trois marches, forme un arrondi de trois mètres de large sur deux mètres de profondeur, et où le chien trône, assis, la queue balayant le sol. Dans la vitrine, un panneau indique « Bail à céder ».

Avec l'orientation de l'avenue, ce recoin est à l'abri du vent. Philippe secoue la tête, sourit et gravit les trois petites marches qui le séparent du chien. Il pose son sac, s'assoit à ses côtés. Il passe son bras autour de son cou, l'embrasse et le presse plusieurs fois contre lui. Ensuite, il sort ses affaires et organise l'espace : cartons par terre, duvet, son barda comme oreiller.

Lorsque Philippe est emmitouflé dans son sac de couchage, le chien s'allonge à côté de lui, la tête vers la rue. Avant de se coucher à son tour, il réouvre ses affaires, attrape un pull et l'étend sur le chien en le bordant.

Quand il s'endort enfin, le chien continue de surveiller l'obscurité environnante.

Réveil clinquant

Il est tiré de son sommeil par des cliquetis métalliques. Il est 9 heures du matin.

Il se redresse difficilement, en équilibre sur son coude, fait glisser son bassin et s'appuie contre la porte vitrée du magasin.

Le chien est assis sur le trottoir, face à la rue. Dès que quelqu'un passe, il le dévisage, oreilles dressées, la tête penchée dans le sens de sa trajectoire. Certains l'ignorent totalement, d'autres sourient, continuent, ou, parfois, fouillent leurs poches et laissent tomber une pièce sur la deuxième marche. Le métal de l'obole cliquette en s'abattant sur le petit escalier.

Philippe observe plus attentivement. Après quelques tentatives infructueuses, le chien se fixe sur un costume cravate et attaché-case d'une trentaine d'années, au pas pressé. Les yeux du jeune cadre dynamique glissent tout d'abord sur lui, comme s'il ne l'avait pas vu. Puis, alors qu'il détourne déjà la tête, il le regarde de nouveau, les sourcils légèrement froncés, sourit, poursuit son chemin, met les mains dans ses poches, revient sur ses pas, se baisse et pose une pièce de deux euros sur la marche. Tout le long, le chien n'a pas cessé de suivre chacun de ses gestes.

– Il est terrible votre chien! dit-il à Philippe.

Le chien va se blottir contre son maître et lui lèche le visage. Philippe le caresse.

– En tout cas, il vous aime… Si ma femme pouvait être comme lui… dit-il le regard soudainement vague et absent. Enfin ! reprend-il après quelques secondes en se barricadant derrière un sourire d'apparat, bon courage…

Philippe lui répond d'une moue qui veut dire « merci » et le costume cravate s'éloigne. Il va voir combien s'est accumulé sur l'escalier. Il récupère les pièces, compte : six euros soixante-dix. Il fouille dans ses poches et en sort cinq euros quatre-vingts. De l'autre côté de l'avenue, un jeune Marocain est en train d'ouvrir la guérite d'un snack.

Il se lève et descend sur le trottoir. Le chien se lève également, remue la queue. Philippe lui fait signe qu'il revient et traverse. Le chien se rallonge, les pattes croisées, les pompons ballant dans le vide, négligemment cassés par l'angle de la marche.

– Bonjour…

– Bonjour… Euh… combien la crêpe au sucre ?

– Deux euros cinquante.

Philippe fait « deux » avec ses doigts et prépare sa monnaie. Le jeune Marocain répand la pâte sur la plaque noire circulaire.

– La deuxième, c'est pour le chien ?

Philippe se retourne vers l'animal et confirme.

– J'ai le même genre de gabarit à la maison… Sa mère la pute, c'est que ça bouffe ces bestiaux !

Il lui répond par un demi-sourire.

– Et deux crêpes au sucre, deux !… Deux euros cinquante, sivouplé.

Philippe le regarde avec incompréhension.

– La deuxième est pour moi…

Il le paie et récupère les crêpes.

– Merci…

Le Marocain lui fait un clin d'œil appuyé par un claquement de bouche. Philipe traverse, dépose délicatement une crêpe par terre et se rassoit.

– Attention, c'est chaud…

Le chien essaie d'attraper la crêpe, mais ne réussit qu'à moitié.

– Attends…

Philippe la prend et la lui donne par petits bouts lorsque ceux-ci ont un peu refroidi. Ensuite, il attaque la sienne. Assis face à lui, la bave aux lèvres, le chien pousse de petits couinements.

– Hé, j'ai faim moi aussi!

Le chien se trémousse sur place et couine de plus belle.

– Bon, allez…

Philippe lui lance un morceau qu'il attrape au vol, et le caresse. Ensuite, il range ses affaires et va pour partir. Le chien reste assis, à le suivre du regard, les oreilles droites et la tête penchée comme avec le costume cravate.

– Tu viens?

Il descend les marches en claudiquant légèrement, court quelques mètres devant Philippe, fait volte-face, s'allonge sur ses pattes avant en remuant la queue, l'arrière-train droit, et aboie plusieurs fois.

Philippe allume une cigarette, le rattrape et ils se mettent en route.

L'EFFET PAPILLON

ILS MARCHENT EN DIRECTION DE LA GARE Montparnasse. Le ciel est laiteux, bas comme un voile de coton. Un ciel typique de janvier, à la luminosité quasi constante du matin au soir.

Certains regards glissent moins à travers lui. Une partie de ceux qui le transpercent d'abord sans le voir ricochent ensuite sur son compagnon, qui trottine à ses côtés d'une patte alerte, le torse fier et les oreilles aux aguets, pour revenir se heurter à lui, Philippe, à la réalité et à la matérialité de sa présence. Et quand ils se détournent enfin, ils reviennent simplement à leurs préoccupations immédiates au lieu de se murer derrière une indifférence de façade comme on claque une porte ou donne un coup de poing préventif.

Ils font une première halte à une laverie automatique. Sur l'un des bancs, plongée dans un roman de Layticia Audibert intitulé *Sablier*, une jeune fille aux allures d'étudiante attend pour récupérer son linge dans un séchoir. Tandis qu'il se penche et enfourne ses affaires sales dans une machine, elle lève les yeux de sa lecture, les promène de lui au chien, assis à ses côtés et haletant tranquillement, les reporte sur Philippe au moment où il referme le hublot. Leurs regards se croisent. Elle lui adresse un demi-sourire, sans gêne ni malaise. Il le lui retourne. Elle se replonge dans son livre. Philippe termine son fond de lessive et se rend devant le compteur où l'on sélectionne les programmes de lavage. Par réflexe, il passe son doigt dans le réceptacle du retour de monnaie, en extrait une pièce d'un euro.

– Excusez-moi, demande-t-il à la jeune fille, c'est à vous?

– Non, elle était déjà là quand je suis arrivée.

Il la tend vers elle dans un geste interrogateur.

– Allez-y, je vous en prie... lui dit-elle.

Philippe reste la main levée, et finit par la refermer sur la pièce.

– Merci.

Nouveaux sourires. Il paie, lance le programme, s'assoit sur un banc. Le chien vient à côté de lui, pose la tête sur sa cuisse. Philippe le caresse doucement. Il ferme progressivement les yeux et se met à pousser de petits ronflements.

En partant, la jeune fille s'arrête à leur hauteur.

– Il est super mignon. Vous croyez que ...?

Elle a tendu sa main dans sa direction. Philippe retire la sienne. Au changement de paume, le chien ouvre les yeux, regarde la jeune fille, les referme en continuant de ronfler. Puis la jeune fille rajuste son sac et s'en va.

– Au revoir... dit-elle en sortant.

– Au revoir...

Le chien tourne la tête vers elle avant de la remettre sur la jambe de Philippe. Ses ronronnements se mêlent à ceux de la machine.

Peau neuve

A PRÈS, ILS MONTENT AUX DOUCHES de la gare. À l'entrée,
la femme qui était là lors de sa première venue, et qu'il avait
recroisée plusieurs fois par la suite.

À la vue de Philippe, son visage s'éclaire.

– Bonjour !

– Bonjour…

– Ça fait longtemps…

Philippe hausse les sourcils avec une moue d'approbation. Il
paie et elle lui donne sa serviette.

– Je suis contente de vous voir…

Il la regarde avec un air interrogateur.

– Ben, poursuit-elle, quand on voit plus ceux qui venaient,
c'est que bien souvent… enfin… Bref ! Ça me fait plaisir de vous
voir…

Elle aperçoit le chien, qui s'est sagement allongé sur le seuil.
Son visage s'illumine de plus belle.

– Mais qu'est-ce que c'est que cet amour !

Sa voix s'est faite toute douce. L'entendant, le chien relève la
tête et les oreilles dans sa direction.

– Pardonnez-moi, mais j'adore les chiens…

Elle descend de sa chaise et fait le tour de son comptoir.

– Le dernier que j'ai eu ressemblait à celui-ci… Il est mort d'un cancer des ganglions lymphatiques… En quinze jours…

– Désolé…

– J'ai pas encore eu le courage d'en reprendre un… Mais quand je le vois, j'ai envie! Il s'appelle comment?

– Je sais pas… C'est lui qui m'a choisi…

– Je peux…?

– Bien sûr.

Elle s'accroupit et commence à le caresser. Il se laisse faire. Philippe se dirige vers les douches.

– Prenez la dernière, elle a pas encore servi aujourd'hui!

Philippe se glisse dans la cabine correspondante. Lorsqu'il revient, propre et habillé, le chien s'est couché sur le dos et se laisse gratter le ventre copieusement. Dès qu'il l'aperçoit, il vient s'asseoir à ses pieds et tend plusieurs fois sa patte en la laissant retomber jusqu'à ce que Philippe la prenne.

– Si c'est pas mignon… commente la femme.

Elle prend un air faussement agacé et repasse derrière son comptoir.

– Allez, allez, du balai, ça me rappelle trop de choses, dit-elle en souriant.

Et, alors qu'ils franchissent le seuil:

– N'attendez pas l'hiver prochain pour revenir!

Bébère le Berbère

Il est un peu plus de midi quand ils traversent le parvis de la gare. Le chien ne tient pas en place. Il marche quelques mètres devant Philippe, se retourne, fait un pas de côté, trépigne, couine, aboie, revient vers lui, repart, s'arrête, couine et trépigne encore.

– Mais qu'est-ce que t'as ?

Le chien court vers lui.

– Hein, qu'est-ce qu'y a ?

Il soulève le bras de Philipe avec son museau, le prend par la manche et le tire en avant.

– Hé !

Le chien le lâche, le fixe, les oreilles tendues à l'extrême, aboie plusieurs fois.

Ils se remettent en route. Le chien le devance de nouveau et s'immobilise face à lui à l'angle du trottoir, la queue balayant rapidement l'air.

– Ça va, j'arrive…

Ils remontent une petite ruelle. Le chien se met à courir et s'engage dans une arrière-cour. Philippe presse le pas. Lorsqu'il arrive, le chien est debout sur ses pattes arrière, celles de devant posées sur un portillon aux lattes bordeaux. Il aboie plusieurs fois et reste ensuite la gueule ouverte, la langue pendante, agitant énergiquement la queue. Une voix mâle et rocailleuse retentit à l'intérieur.

– Baudelaire !

Le chien repose ses pattes au sol, s'assoit et attend en regardant le haut du portillon. Celui-ci s'ouvre : apparaît un grand gaillard ventru d'une cinquantaine d'années, vêtu d'un tablier, les yeux bleus délavés et coiffé d'une tignasse de cheveux blancs ébouriffés. Le chien s'assoit, l'homme s'accroupit et lui pince les joues.

– T'étais passé où, vieille canaille ?

Baudelaire rejoint Philippe. L'homme se redresse lentement et s'essuie les mains sur son tablier. Lui et Philippe se dévisagent. L'homme s'avance, le détaille de plus près avant de lui tendre la main.

– Bébère, Bébère le Berbère…

– Euh… Philippe… Philippe tout court…

Poignée de main. Bébère caresse le chien sur le haut du crâne.

– Tu veux les bonnes boulettes du Berbère ?

Au mot « boulettes », ses oreilles se dressent, il se met à aboyer en sautillant avant d'aller directement pousser le portillon en bois et de s'engouffrer à l'intérieur. Philippe et Bébère se retrouvent face à face.

– Tu t'occupes de lui ?

– En quelque sorte…

– Comment ça, en quelque sorte ?

– Disons qu'il m'a tiré d'un très mauvais pas…

Bébère le jauge un instant du regard.

— Pas facile la rue. T'as faim?

— Ben…

— Tu vas quand même pas refuser les meilleures boulettes de Paname!

— Non, je… d'accord!

Il lui emboîte le pas. Quelques minutes plus tard, il est assis à une petite table dans la cuisine du kebab Chez Bébère le Berbère!, devant une assiette de boulettes, tandis que le chien termine déjà une gamelle marquée au nom de « Baudelaire ».

— T'es berbère? lui demande Philippe entre deux bouchées.

— Ma femme. Moi, je suis de Colmar, Alsace!

Le chien finit de lécher bruyamment sa gamelle et vient s'asseoir près de la table. Il les regarde alternativement en se léchant les babines et en poussant de faibles gémissements. Philippe lui lance une boulette qu'il attrape au vol et dévore en manquant de s'étouffer.

— C'est bien, commente Bébère.

— Et… pourquoi « Baudelaire »?

— À cause du poète!

Il se lève et montre à Philippe une petite étagère en hauteur où, au-dessus d'un vieux téléphone à cadran, sont alignés une dizaine de livres.

— J'adore la poésie, dit-il en passant sa main sur les tranches.

— Ouais, ben c'est pas ta poésie qui va payer les factures!

Fatima, la femme de Bébère, se tient derrière le petit portillon rouge, les bras chargés de courses. Philippe s'essuie la bouche, se lève.

– Tu viens m'aider ou bien?

Bébère se précipite, lui ouvre et la débarrasse de certains sacs.

– Toi et tes bonnes œuvres… soupire-t-elle suffisamment fort pour être entendue.

Elle entre.

– Madame… bredouille Philippe en retirant son bonnet.

– Pardon…

Il s'écarte pour la laisser passer.

– Y a des clients qui attendent dehors, lâche Fatima en déposant ses paquets sur le plan de travail.

Philippe échange un coup d'œil avec Bébère.

– On va…

– Je vous raccompagne.

Ils sortent et font quelques pas dans la cour.

– Désolé, en ce moment elle est un peu…

Bébère agite la main avec une grimace.

– Merci… lui dit Philippe en s'éloignant avec Baudelaire.

– Oh! attends…

Il repart à l'intérieur et revient avec le tome *Poésies* des œuvres complètes de Charles Baudelaire dans la Pléiade.

– Ça t'occupera, tu me le rendras à l'occase…

– Bébère! retentit depuis la cuisine.

– Pages 307 à 309, elles sont cornées…

– BÉBÈRE!!!

– J'ARRIVE!… Bon, je file… À la revoyure!

Il caresse une dernière fois la tête de Baudelaire, donne une tape amicale à Philippe et disparaît derrière le petit portillon.

– Voilà… voilà…

UNE VIE DE CHIEN

EN QUELQUES SEMAINES, Philippe fait partie du quartier. Les habitants et les commerçants se sont habitués à sa silhouette et à sa présence. On le reconnaît, on le salue, à tu et à toi, une caresse pour Baudelaire et ses airs irrésistibles, une petite pièce ou l'équivalent en nature pour son maître et puis s'en va.

Baudelaire et lui ont aussi pris leurs habitudes. La matinée commence par deux crêpes au sucre et un café achetés chez Ahmed, le jeune Marocain, qui lui donne le bulletin météo du jour, programme télévisé préféré de sa mère, et le laisse utiliser les toilettes du snack jusqu'à l'arrivée de son patron, rarement là avant 11 heures. Suivent une ou deux heures de lecture tandis que Baudelaire use de son charme auprès des passants. Ensuite, lui et Philippe retrouvent Sarah, la jeune femme des douches publiques de la gare Montparnasse. Elle apporte parfois de petites douceurs pour Baudelaire, du gel douche ou du shampooing de marque pour Philippe. Un jour, elle leur donne deux vieux tapis de sol, plus confortables et d'une meilleure isolation thermique que les cartons, parce que son compagnon et elle en ont acheté de nouveaux pour leurs prochaines vacances d'été au camping, et que ça débarrasse. En sortant, ils vont voir régulièrement Bébère et s'attablent un moment avec lui dans la petite cuisine. Si Fatima les accueille avec sa bougonnerie rituelle, elle les prend de plus en plus souvent à partie dans ses railleries bienveillantes lorsque le Berbère d'Alsace parle de poésie et s'envole dans des embardées lyriques. Et quand Philippe est obligé de se battre avec lui pour payer au moins une partie de son kebab et des boulettes de Baudelaire, elle tranche le débat en les mettant tout bonnement dehors.

L'après-midi, ils se laissent porter par l'enchevêtrement des rues, élisent un endroit où ils récoltent de quoi dîner le soir, font une pause dans la chaleur momentanée d'un café, repartent, se réchauffent dans une galerie marchande ou descendent dans les entrailles tièdes du métro. Là, ils continuent leur prospection pécuniaire au gré des embranchements souterrains. À la différence de leurs congénères, ils ne demandent rien aux autres passagers. Philippe s'appuie contre les portes du wagon qui resteront fermées tout le long du trajet, Baudelaire s'assoit ou se couche à ses pieds, un petit gobelet en plastique à ses côtés. Philippe ouvre alors les *Poésies* prêtées par Bébère et commence simplement à lire à voix haute. Il lit sans interruption jusqu'au terminus avant de repartir en sens inverse ou de bifurquer sur une autre ligne. Au début, tous se murent dans une indifférence protectrice : regards fixés au sol ou aux vitres, sur un livre ou un journal, augmentation du volume des baladeurs transformés en œillères auditives, soupirs lassés, silencieusement imprimés dans des demi-sourires crispés défigurant les visages.

« Je chante le chien crotté, le chien sans domicile, le chien flâneur, le chien saltimbanque, le chien dont l'instinct,

197

comme celui du pauvre, du bohémien et de l'histrion, est merveilleusement aiguillonné par la nécessité, cette si bonne mère, cette si vraie patronne des intelligences !

Je chante les chiens calamiteux, soit ceux qui errent, solitaires, dans les ravines sinueuses des immenses villes, soit ceux qui ont dit à l'homme abandonné, avec des yeux clignotants et spirituels : "Prends-moi avec toi, et de nos deux misères nous ferons peut-être une espèce de bonheur !" »

À mesure qu'il lit, sans bouger ni descendre à l'arrêt suivant, des sourcils se froncent comme autant de points d'interrogation, le volume d'un i-Pod baisse, un écouteur est retiré d'une oreille, des journaux et des livres se ferment, des têtes se penchent dans l'allée centrale. Progressivement, des coups d'œil surpris et décontenancés s'échangent entre les voyageurs, les visages se détendent, s'ouvrent. Et, au fil des stations, le petit gobelet émet des tintements de plus en plus clairs.

En fin de journée, si le temps est au beau fixe, Baudelaire emmène Philippe sur le pont des Arts. Ils restent assis là, sur un banc, à contempler l'horizon et la vue dégagée avant de dîner en revenant à pied jusqu'à Montparnasse.

Le soir, ils repassent parfois chez Bébère, où Philippe dépose la majeure partie de ses gains de la journée dans une boîte en fer de sablés d'Alsace.

Quand ils se couchent enfin, Philippe ouvre son duvet et Baudelaire vient se blottir contre lui. Lorsque le ciel est dégagé, il lui raconte l'histoire du prince des Étoiles et de la princesse de l'Aurore.

CHIENNE DE VIE

– PUTAIN, C'EST LA LOOSE GRAVE cette affaire… commente Ahmed en regardant avec Philippe et Baudelaire l'entrée de la boutique où ils dormaient encore cette nuit.

Depuis plusieurs jours, une pancarte accrochée à la porte mentionnait un début prochain de travaux. Ce matin, les ouvriers sont arrivés avec tout leur matériel et ont grillagé le chantier.

– Sa mère la pute! En plus, ils annoncent un méga regain de froid à la météo…

Philippe termine sa dernière gorgée de café.

– En tout cas, je retourne pas dans un foyer.

– Attends, t'as vu comment ça caille déjà ce matin? De l'air venu de Sibérie, direct, qu'elle m'a dit ma daronne. Sérieux, ça va être chaud!

– De toutes les façons, je peux pas y aller : ils acceptent pas les chiens.

– Si! Au *Fleuron*, si!

Philippe fronce un instant les sourcils.

– Laisse tomber avec ton truc là… finit-il par trancher.

Il broie son gobelet et le jette à la poubelle.

– Mais je te dis, j'ai vu un reportage dessus, y a deux semaines. Ça a vraiment l'air top. Géré par des chevaliers de l'ordre de Malte

199

et tout... Attends, des chevaliers! Pas des flics ou des fonctionnaires de merde, des chevaliers!

— T'as l'adresse?

— ...

— Tu vois...

— Attends, bouge pas...

Il prend son portable.

— Mouloud?... Ouais, arrête de te branler deux secondes sur
tes sites porno à la con et rends-moi un service, s'teuplé... Allez,
c'est bon, quoi!...

Moins d'une minute et quelques insultes fraternelles plus
tard, il attrape un papier et griffonne quelque chose.

— Ok, merci p'tit frère... Vas-y...

Il raccroche.

— Voilà : quai de Javel, dans le quinzième, 01 45 58 35 35. Y
faut téléphoner avant, pour réserver une place.

— C'est un trois étoiles ou quoi ton truc?

— C'est ce qu'ils disaient dans le reportage, en tout cas.
Tiens...

Il tend le papier à Philippe, qui le regarde sans le prendre.

— Allez, prends! Après t'y vas ou t'y vas pas, mais au moins
t'as leur 01.

— Leur quoi?

— Leur phone.

Les deux hommes se dévisagent. Baudelaire reste assis, les
yeux rivés sur les ouvriers qui vont et viennent.

Philippe prend le papier et le glisse dans sa poche.

INVITATION AU VOYAGE

LA MÈRE D'AHMED et la météo ont dit vrai. Depuis une dizaine de jours, les températures avaient connu une certaine embellie mensongère pour la saison. Si les nuits restaient froides, avec des températures avoisinant les 0 °C, entre + 2 et + 3 °C lorsque le ciel était couvert, le mercure faisait briller quelques heures réellement chaleureuses, à presque + 10 °C, les après-midi de soleil.

Ce soir, 10 février, à bientôt 18 h 30, le thermomètre a délaissé ses faux airs printaniers et affiche de nouveau des valeurs négatives frontales. Au pied de la péniche se masse une cinquantaine de personnes, la moitié accompagnée de leur chien. Jeunes ou moins jeunes, toutes origines ethniques et sociales confondues. Certains se saluent, s'interpellent, discutent. D'autres, comme Philippe et Baudelaire, attendent un peu à l'écart.

Tous sont globalement calmes et propres sur eux. Sur le quai de Javel, pas de Nanar du trottoir ni de Russes jouant négligemment avec un couteau. La femme qu'il a eue au téléphone en début d'après-midi quand, poussé par Bébère, il a finalement appelé le *Fleuron*, a bien insisté sur ce point.

– Pas d'alcool et pas d'armes à bord. Si vous contrevenez à ces deux points du règlement, vous serez immédiatement et définitivement débarqués à terre.

La voix était claire comme de l'acier trempé.

– Sur ce, monsieur Lafosse, nous vous attendons donc ce soir avec votre compagnon. L'embarquement est à 18 h 30 précises. Soyez à l'heure.

Un teckel avec une longue robe de poils arrive à leur hauteur. Baudelaire et lui s'observent en remuant nerveusement la queue, se tournent autour, se reniflent, oreilles dressées pour le grand et en avant pour le petit, de légers couinements intrigués et interrogatifs pour les deux.

– T'étais pas là hier soir?

Le maître du teckel, un jeune homme au visage juvénile, vient de les rejoindre. Les deux chiens commencent à jouer ensemble.

– C'est ma première fois ici, répond Philippe.

– Les règles sont un peu strictes, mais on y est bien, tu verras.

Il lui tend la main.

– Franck… et Dalida, dit-il en désignant son teckel.

– Philippe, et Baudelaire.

Poignée de main. Franck regarde les deux chiens se chamailler. Baudelaire fait mine de se laisser dominer par Dalida, mais la rabroue lorsqu'elle s'enhardit trop.

– T'es là pour quoi? lui demande Franck.

– Séparation, plus d'appart, plus de boulot… La spirale, quoi. Et toi?

– Je suis vendeur aux Galeries Lafayette.

– Qu'est-ce que tu fous là alors?

– CDD, SMIC, des parents à qui je parle plus parce que je suis homo, donc pas de caution parentale, et donc pas d'appart…

– T'as quel âge?

– Dix-neuf ans. Mon vieux m'a viré à dix-sept.

Philipe hausse les yeux et les sourcils au ciel.

– Mais j'ai bon espoir. Ils m'ont promis un CDI après l'été…

Devant eux, les autres se mettent à rassembler leurs affaires. Ils regardent en direction de la péniche. Une femme est en train de traverser la passerelle.

Il est 18 h 30 précises.

LES PASSAGERS

UNE FOIS LA PASSERELLE FRANCHIE, ils ne sont plus des SDF, mais des « passagers ». Ils sont accueillis par Nadine, bénévole depuis l'ouverture du *Fleuron* en 1999. Elle remet à chacun une petite carte magnétique numérotée donnant accès à une cabine. Certains habitués vont ensuite déposer une partie de leurs affaires à la consigne, se reposer dans leur chambre ou dans le « fumoir », la salle du haut où ils peuvent rester jusqu'au dîner. Quant aux nouveaux, comme Philippe et Baudelaire, ils sont pris en main par Bruno, médecin retraité, qui leur explique les règles de vie à bord : pas d'alcool, pas d'armes, respect des bénévoles qui les servent, des lieux et de leur propreté, obligation de retirer son bonnet ou sa casquette, de couper son téléphone portable.

– Le repas est servi au réfectoire à 19 h 45, continue-t-il en désignant un espace au-delà. L'extinction des feux est à 22 heures. Ce soir, comme tous les quinze jours, vous pouvez consulter gratuitement un vétérinaire, une assistante sociale et un avocat.

Ils descendent alors à l'étage inférieur, dans les cales, où ont été aménagées trois unités de dortoirs, regroupant chacune plusieurs cabines avec couchettes et une zone sanitaire pourvue de douches, lavabos et W.-C. Un long couloir divise la coque et distribue les chambres de part et d'autre. Des appliques rondes parsèment le plafond. La couleur bois, marron foncé et beige, domine. Tout est clair et propre.

Philippe et Baudelaire rejoignent leur cabine. Celle de Franck et Dalida est juste en face de la leur. Chacune d'elles est disposée et organisée de la même manière : un hublot donnant sur la Seine et deux lits superposés, celui du bas étant réservé au passager monté à bord avec son chien. À cette heure-ci, la plupart laissent leur porte ouverte.

Philippe pose son barda et inspecte le lieu : couverture sans scintillements parasitaires, oreiller, et même des draps. Au mur, de larges poignées pour pendre des affaires ou des serviettes.

Tandis qu'il s'installe, arrive Serge, dit Diogène, son compagnon de chambrée pour la nuit, la cinquantaine bien tassée, le visage tanné par des années d'alcool et de rue.

– Salut Franck! Tu vas?

Les deux hommes se serrent la main.

– Et toi? Comment va le grand Diogène?

– J'ai connu pire.

Il attrape Dalida, la soulève à bout de bras et la fait tourner en l'air. La chienne aboie en remuant la queue. Serge la rapproche de son visage, lui fait une bise et récolte en retour quelques coups de langue sur les joues. Il la repose au sol et entre dans la cabine de Philippe. Ils se présentent, échangent une poignée de main. Serge s'accroupit et caresse Baudelaire.

– C'est quoi son nom?

– Baudelaire.

– À cause des « Bons chiens »?

– Tu connais?

Serge se redresse.

– J'étais prof de philo avant d'être clodo...

Il monte sur sa couchette.

– T'es là pourquoi? lui demande Philippe.

– Ma femme est morte dans un accident de voiture y a presque dix ans. C'est moi qui conduisais. J'ai commencé à picoler, à insulter mes élèves et à sécher mes propres cours. L'Éducation nationale a fini par me virer, j'ai perdu mon appart... Le truc classique, quoi! Depuis, je suis comme Diogène, le philosophe grec qui vivait dans son tonneau. Mais je picole plus... Enfin, plus... Un peu moins en ce moment en tout cas!

Il rit, un rire ample et sonore. Philippe sourit.

– Et toi? lui demande Serge.

Philippe lui raconte brièvement son parcours.

– Tu peux t'en sortir, lui dit Serge à la fin de son récit, la rue ne t'a pas encore trop abîmé. Tu devrais parler avec l'assistante sociale et l'avocat d'ici. Ils sont vraiment bien, et efficaces.

Philippe va répliquer quelque chose quand des pas cadencés retentissent dans le couloir.

L'AMIRAL

APRÈS AVOIR SALUÉ FRANCK ET DALIDA, une femme en tailleur pantalon entre dans la cabine de Philippe.

Serge descend de sa couchette et se met ironiquement au garde-à-vous.

— Amiral !

Elle sourit aux facéties de Serge. Sur le revers de sa veste est accrochée la croix de Malte.

— Repos, Diogène, repos…

Il remonte sur son lit.

— Vous êtes Philippe ?

— Oui.

— Édith de Rotalier, lui dit-elle en lui tendant la main, directrice du *Fleuron*, mais tous les passagers m'appellent « l'Amiral ».

Ils échangent une poignée de main.

— Soyez le bienvenu à bord.

— Merci.

Elle s'accroupit et caresse Baudelaire.

— Comment s'appelle-t-il ?

— Baudelaire.

— Voilà qui va plaire à Diogène…

Elle regarde Serge avec un demi-sourire avant de revenir à Baudelaire, qui pousse déjà de légers ronflements d'aise.

— Il est à jour au niveau de ses vaccins ? demande l'Amiral.

— Je sais pas, répond Philippe. Je l'ai trouvé dans la rue. C'est d'ailleurs plutôt lui qui m'a trouvé…

Elle se relève.

— Je vais vous faire envoyer le vétérinaire en priorité. Nous avons un partenariat avec les étudiants de Maisons-Alfort. Ils sont très bien, vous verrez. Sinon, Bruno vous a expliqué le règlement ?

— Oui.

— Il vous a dit que vous pouviez séjourner à bord pendant vingt-huit jours de suite ?

— Non.

— Sachez donc que vous le pouvez. Vingt-huit jours, pas un de plus, pour que d'autres passagers qui en ont besoin puissent eux aussi souffler ici avec leur compagnon d'infortune.

Philippe hoche la tête en signe d'assentiment.

— En revanche, je vous demanderai de nous prévenir si vous décidez d'aller ailleurs alors que nous vous attendons, afin de ne pas bloquer une place qui pourrait profiter à quelqu'un d'autre.

— Je comprends.

Elle se tourne vers Serge.

— Comment ça se passe avec la bouteille ?

— Quelques crachins de temps en temps, mais la météo est globalement au beau fixe !

Édith de Rotalier croise les bras et le harponne du regard.

– Je plaisante, Amiral, pas une goutte depuis deux semaines.

Elle le détaille avec une moue dubitative et peu convaincue.

– Sérieux, Amiral, parole de matelot chevalier! ajoute-t-il, la main levée en preuve de sa bonne foi.

– Il faut, Serge. Chaque arrêt est un pas de plus vers l'arrêt définitif et la réinsertion.

Elle décroise les bras et revient à Philippe.

– Je vais vous chercher le vétérinaire.

Elle et Philippe se serrent de nouveau la main.

– N'hésitez pas à solliciter nos bénévoles ou moi-même si vous avez des questions.

– Merci.

Ils échangent un sourire et l'Amiral sort dans le couloir. Philippe se retourne vers son compagnon philosophe avec un haussement de sourcils impressionné.

– Tu m'étonnes, lui dit Serge, ça, c'est de la gonzesse!

GANGLIONS

BAUDELAIRE EST SAGEMENT ALLONGÉ sur le côté, deux
pattes relevées et les oreilles en arrière. Son regard cherche
celui de Philippe, qui, accroupi derrière lui, tient sa tête et le
caresse. Appuyé dans l'encadrement de la porte, Franck suit la
scène avec Dalida dans ses bras.

— Voilà! dit le vétérinaire, un jeune homme de vingt-cinq
ans, en retirant l'aiguille de sa piqûre.

Instantanément, Baudelaire se relève et vient se blottir contre
Philippe, qui lui frotte vigoureusement le torse.

— Pas un couinement, rien... Il est courageux, commente le
vétérinaire en caressant Baudelaire.

Il griffonne dans un petit carnet et le donne à Philippe.

— Tenez, son carnet de vaccination. Gardez-le tout le temps
sur vous, au cas où des policiers vous le demanderaient. Vous avez
une muselière et une laisse?

— Non. Pourquoi?

— Pour le métro, c'est obligatoire. On en a en stock, je vous
en donnerai tout à l'heure.

— La laisse, oui, pourquoi pas, mais la muselière, je suis pas
sûr que ça lui plaise...

210

Baudelaire lui donne des coups de langue sur le visage.

— Même si vous ne la lui mettez pas, prenez-la sur vous, au cas où, ça peut vous éviter d'avoir une amende.

— Il a raison, commente Franck. Une fois, on m'a contrôlé, et si j'avais pas eu la muselière de Dalida sur moi, j'étais bon. Pourtant t'as vu sa taille!

Philippe échange un regard avec le vétérinaire.

— Bon, encore quelques petites vérifications, et on a fini…

Le vétérinaire s'approche de Baudelaire et commence à lui palper le cou, le torse, les flancs, le ventre, les pattes.

— Ah…

— Quoi donc? demande Philippe en fronçant les sourcils.

Le vétérinaire cesse son auscultation.

— Est-ce qu'il lui arrive de boiter?

— Je… peut-être, j'ai pas fait attention. Pourquoi?

— Certains ganglions présentent une légère inflammation.

Philippe le dévisage.

— Rien de grave *a priori*, rassurez-vous. Les ganglions réagissent en défense à toutes sortes de choses. Mais si jamais vous voyez qu'il boite de temps en temps, n'attendez pas pour l'emmener voir un véto.

— Parce que…?

— Ça pourrait marquer le début d'un cancer des ganglions lymphatiques.

Des regards s'échangent entre Philippe, Serge et Franck. Baudelaire remue la queue et halète.

— Mais ne vous inquiétez pas, pris au début, ça se soigne très bien.

« Je » de société

Dans le réfectoire, une dizaine de bénévoles s'affairent. Les uns en cuisine, les autres en salle, au service. Un bénévole est également assis à chaque table et anime la conversation entre les « passagers ».

Il y a encore quelques minutes, Philippe était avec Laurence Apitz, une trentenaire au tempérament bien trempé et au débit administratif digne d'une mitraillette, et David Koubbi, trentenaire également, aux allures de dandy malicieux, tous deux respectivement assistante sociale et avocat.

— Bien sûr que si, lui avait dit la première, bien sûr que vous avez droit au RMI, que vous soyez interdit bancaire ou non ! De plus, on ne peut absolument pas vous le saisir, que vous ayez des dettes, un crédit à rembourser ou, dans votre cas, une pension alimentaire à verser.

— D'accord, mais je fais comment pour le toucher sans compte bancaire ?

— C'est très simple : soit vous ouvrez un compte à La Poste, sans frais, soit vous recevrez une lettre-chèque que vous convertirez en espèces dans n'importe quel bureau de poste. Comme vous êtes sans domicile fixe, il vous suffit de vous domicilier poste restante dans le quartier ou l'arrondissement où vous êtes le plus souvent, et où sera la CAF dont vous dépendrez, et hop!

– …

– Allez, avait-elle décidé en sortant d'autorité une batterie de formulaires, on va remplir les papiers ensemble. Et tant qu'on y est, on va faire une demande CMU, comme ça vous serez couvert pour les frais de santé.

Au détour des questions qu'elle lui avait posées, elle s'était exclamée :

– Ah! mais, c'est fou ça… Pourquoi vous n'avez pas fait une demande plus tôt? Vu la date à laquelle vous avez cessé votre activité professionnelle, vous auriez pu toucher le RMI depuis septembre! Et la prime de Noël!

– Ben, j'ai toujours travaillé, je savais pas du tout comment… enfin, à quoi j'avais droit, pas droit, quelles étaient les démarches à faire…

– Bon, malheureusement, le RMI n'est pas rétroactif, sauf pour le mois en cours…

– C'est-à-dire?

– C'est-à-dire que, à la fin du mois, vous toucherez 454,63 euros – ne me demandez pas pourquoi ces 63 centimes d'euros, ça fait partie de la poésie administrative – et vous les toucherez en espèces ou par virement selon ce que vous aurez choisi. Cette somme vous sera allouée pour une durée de trois mois, à l'issue de laquelle vous recevrez une déclaration de ressources à retourner à votre CAF, que vous ayez travaillé ou non, pour que l'on calcule le montant de vos droits pour les trois mois suivants. Vous aurez également des rendez-vous réguliers et obligatoires avec un conseiller de l'ANPE. Attention, j'insiste : si vous ne vous présentez pas à ces convocations, le versement de votre RMI pourra être suspendu. Ensuite, si vous trouvez un logement, vous aurez également droit à une allocation dont le montant dépendra de celui de votre loyer ainsi que de la surface de votre habitation. Enfin, si vous retrouvez un emploi, vous pourrez cumuler votre salaire et le RMI pendant les trois premiers mois de votre reprise d'activité, auxquels pourra venir s'ajouter la prime de retour à l'emploi d'un montant de 1 000 euros.

– …

– Je sais, c'est un peu compliqué et jargonneux, mais je vais vous noter les grandes lignes, ne vous inquiétez pas. En gros, vous êtes bientôt riche… Alors, virement ou espèces ?

– Espèces…

À peine un quart d'heure plus tard, tout était rempli.

– Bien ! Demain matin, vous ouvrez une adresse poste restante, vous m'appelez à ce numéro pour que je complète vos différents dossiers et je dépose le tout.

– Merci… lui avait dit Philippe en récupérant le papier qu'elle lui tendait et où elle lui avait tout noté.

– Et maintenant, allez voir David. Je suis sûre qu'il aura de bonnes nouvelles à vous apprendre au sujet de votre fille…

Philippe était alors passé dans une autre salle. À la suite de son exposé des faits, l'avocat avait souri, un sourire de gamin qui s'amuse déjà du mauvais coup qu'il s'apprête à faire.

– Pour moi, c'est très clair : vous allez revoir votre fille très bientôt.

– Vraiment ?

— Vous ne pourrez bien évidemment pas exercer pleinement et souverainement votre droit de garde parentale alternée, mais votre ancienne épouse ne pourra nullement s'opposer à ce que vous preniez votre fille un après-midi par semaine, le mercredi ou le week-end.

— Et je dois faire quoi pour ça, maître ?

— Laissez tomber le « maître » avec moi. Le mieux, c'est de tenter d'abord les solutions diplomatiques avant de déclencher la guerre, et donc d'essayer de s'arranger à l'amiable. Pour cela, la première chose à faire, c'est de parler avec votre ex-femme. Le problème, si j'ai bien compris, c'est qu'elle a déménagé, qu'elle est sur liste rouge et que vous n'avez pas sa nouvelle adresse ?

— C'est exactement ça.

— Et son portable ? Vous avez essayé de la joindre sur son portable ?

— Non, mais je suis sûr qu'elle a changé de numéro.

— C'est probable. Mais essayez quand même, on ne sait jamais. Vous pouvez aussi aller à la sortie de l'école de votre fille. Votre ex-femme finira bien par venir la chercher.

— Sauf si elle a changé Claire d'établissement.

— Comme elle a déménagé sans laisser d'adresse, c'est à craindre, en effet. Mais appelez l'école à tout hasard. Là aussi, on ne sait jamais. Sinon, vous voyez d'autres moyens de retrouver sa trace ?

— Ses parents. Mais entre eux et moi, ça n'a jamais vraiment...

— Je vois. Essayez également. Et si jamais...

Il avait tiré une carte de visite et noté quelque chose au dos.

– … si jamais tout cela ne donnait rien, soit que vous la retrouviez et qu'elle refuse de vous confier votre fille une journée par semaine, soit que vous ne la retrouviez pas, vous m'appelez. Nous saisirons le juge compétent aux affaires familiales, je ne doute pas qu'il saura apprécier à leur juste valeur les agissements de votre ancienne épouse. Ce n'est pas parce qu'elle est née à Versailles qu'elle a plus de droits que vous…

Il lui avait donné sa carte, au dos de laquelle il avait écrit son numéro de portable.

– Dans tous les cas, vous me tenez au courant. Soit par téléphone, soit dans quinze jours, ici, d'accord ?

Philippe avait acquiescé et glissé la carte dans la poche arrière de son pantalon.

– Une dernière chose, avait ajouté l'avocat avec le demi-sourire de celui qui flaire l'odeur du sang, allez voir si vous n'avez pas du courrier à votre poste restante de la porte d'Orléans. Vous n'en aurez vraisemblablement pas, car ils ne le gardent pas au-delà de quinze jours, mais qui sait ? Vu le caractère de votre ex-femme, je ne serais pas étonné qu'elle vous ait adressé une ou plusieurs lettres disons… un peu pincées et crispées suite au non-versement de votre pension alimentaire. Et comme elle a déménagé, et qu'elle ne veut de toute évidence pas que vous ayez sa nouvelle adresse, elle n'a pas dû indiquer ses coordonnées au dos. Dans ce cas, certaines sont peut-être consignées dans un dépôt… Des pièces de choix si nous allons devant un juge, vous imaginez bien…

Un bénévole arrive à la table de Philippe et commence à servir la soupe. Il est assis avec Serge et Franck, et d'autres passagers du *Fleuron*.

— T'inquiète pas, lui dit Franck, ça va aller pour Baudelaire…

Serge lui donne une petite tape amicale et réconfortante sur l'épaule. La discussion s'engage sur Baudelaire et ses ganglions, puis roule ensuite sur la rue, le monde comme il va, l'actualité, la politique. Parfois, le ton monte :

— N'empêche que si y avait pas tous ces étrangers, là… dit l'un.

— Arrête tes conneries ! réplique Serge. Regarde Mustapha, continue-t-il en désignant l'un de leurs compagnons de table, il est né en France, il est aussi français que toi et moi…

— Oui, d'accord, mais je te parle des *autres*…

— Quoi les « autres » ? Quels « autres » ?

— Ben, tous les autres, là… Tous ceux qui viennent ici pour la Sécu, le Rémi et tout…

— Et alors, à qui la faute ? T'es bien content de le toucher toi aussi, le « Rémi », comme tu dis… Et puis tu ferais quoi, toi, à leur place ?

La discussion est vive, mais finit dans un éclat de rire :

— T'es d'où, toi, d'abord ? lui demande Serge.

— De l'Est.

— Et où dans l'Est ? C'est vague et grand, l'Est…

— Strasbourg.

— Et voilà, dit-il en prenant la tablée à partie, un salopard d'immigré de Boche !

Après le dessert, certains vont au fumoir, sur le pont, rejoignent leur cabine ou jouent à des jeux de société avec les bénévoles. À bord du *Fleuron*, pas de télévision.

Avant d'entamer une partie de Trivial Pursuit, Philippe et Serge fument une cigarette à l'arrière de la péniche.

– Quel con ce raciste de merde! conclut Serge en buvant quelques gorgées d'une fiole qu'il avait dissimulée dans sa poche.

La nuit est belle et étoilée; le froid, cannibale. Ils retournent au réfectoire pour leur partie.

À 22 heures, tout le monde est couché jusqu'au lendemain 8 heures. Serge s'écroule. Philippe reste éveillé. Il a mis son sac de couchage sur les couvertures du lit et s'est glissé à l'intérieur avec Baudelaire. Celui-ci dort déjà à pompons fermés lorsqu'il trouve enfin le sommeil, bercé par le clapotis du fleuve contre la coque.

Morceaux choisis

Quelques jours plus tard, Philippe se dirige avec Baudelaire vers la rue Littré où il a élu domicile pour son adresse poste restante. La vague de froid slave souffle toujours sur la ville.

Le lendemain de sa première nuit à bord du *Fleuron*, il s'était directement rendu à la poste de la porte d'Orléans et avait demandé s'il avait reçu du courrier lors de ces neufs derniers mois. Après une bonne demi-heure de recherches, le guichetier avait retrouvé trace d'un certain nombre de lettres, dont des recommandées, qui avaient toutes été retournées à leur expéditeur, à l'exception de trois plis, consignés au dépôt central.

– Vous voulez que je les appelle pour qu'ils les renvoient ici ?

– Donnez-moi juste leur numéro et les références des lettres, j'ai changé de quartier, avait répondu Philippe.

De là, il était parti au bureau de poste le plus proche de Montparnasse, où il fait maintenant la queue, et avait effectué les démarches nécessaires pour y recevoir désormais son courrier. Il avait alors appelé le dépôt, leur avait demandé de lui réexpédier les plis en question – « d'ici trois jours », lui avait-on dit. Ensuite, il avait téléphoné aux renseignements et s'était fait mettre en relation avec l'école de sa fille – « Elle a changé d'établissement depuis la rentrée de janvier », lui avait répondu une jeune femme. Enfin, comme convenu, il avait rappelé l'assistante sociale et l'avocat.

– Parfait, lui avait dit la première, les dossiers partent aujourd'hui.

– Bien, votre ex-femme accumule les mauvais pas. Prévenez-moi dès que vous aurez tout récupéré, lui avait dit le second.

En quittant le *Fleuron* ce matin, il est d'abord allé prendre un petit déjeuner avec Ahmed, une douche à la gare, puis s'est rendu à la poste d'où il sort avec trois enveloppes : deux sont des suivis de courrier, et l'autre, une rectangulaire classique. Toutes trois sont griffonnées de l'écriture serrée de Sandrine et ne portent aucune mention de l'expéditeur.

Les deux premières, datées de la dernière quinzaine de juin, renferment respectivement la lettre de suspension de son portable pour défaut de paiement et celle lui notifiant son interdiction bancaire.

Quant à la troisième, marquée d'un cachet du 12 septembre dernier, l'avocat avait vu juste : aucune indication sur l'expéditeur, et une lettre manuscrite, pincée et crispée, de Sandrine.

« De mieux en mieux.

Toujours aucun versement de ta pension alimentaire depuis juillet dernier. J'ai tout essayé pour te joindre. Portable, mails, lettres. Soit un message m'a indiqué que ton numéro n'était plus en service, soit mes courriers me sont revenus. Mon avocat a appelé ta banque, mais on lui a répondu que tu étais interdit bancaire.

De mieux en mieux, vraiment.

Je ne sais pas si tu auras cette lettre. Sache juste que je vais déménager, que tu ne me retrouveras pas et que tu ne reverras pas ta fille tant que tu ne m'auras pas versé les mois de pension que tu me dois, passés, présents et à venir.

Je croyais que te mettre enfin à la porte t'aurait fait réagir ou donné un coup de fouet. Mais non.

Tu es minable.

Sandrine »

Philippe sourit, retourne dans le bureau de poste, photocopie la lettre de son ancienne épouse et fait de nouveau la queue. Une fois au guichet, il achète une enveloppe prétimbrée, où il inscrit l'adresse du cabinet de l'avocat après avoir glissé les photocopies accompagnées d'un petit papier sur lequel il écrit :

« Morceaux choisis. Bien à vous, Philippe. »

LA MAIN DE FATIMA

Assis en face de Bébère, Philippe achève de lire la lettre de Sandrine tandis que Baudelaire termine ses boulettes en récurant bruyamment les parois de sa gamelle. Fatima s'est arrêtée de découper la viande. Ahmed, qui a accompagné Philippe, est adossé contre le réfrigérateur, les bras croisés et le regard au sol, perdu dans l'enchevêtrement des carreaux blancs.

— Voilà… conclut Philippe en repliant la lettre.

Silence. Baudelaire a fini de manger et les regarde tour à tour, les oreilles au garde-à-vous, se léchant les babines et poussant des gémissements interrogateurs. Puis il vient se blottir contre Philippe, qui lui passe le bras autour du cou et le caresse sur le torse. Le réfrigérateur se remet en marche. Son ronronnement paisible envahit la petite cuisine.

— Je… je peux voir? lui demande Bébère en se raclant la gorge.

Philippe lui tend la lettre. Bébère la déplie et commence à la parcourir.

— Tu pourras la mettre dans la boîte, avec mon argent?

— Sûr!

— Et… qu'a dit l'avocat? demande Ahmed.

222

– Que je devais d'abord tenter la voie diplomatique.

– C'est-à-dire? enchaîne Bébère.

– Retrouver Sandrine et discuter à l'amiable. Essayer en tout cas...

– Je suis pas sûr qu'on puisse parler comme ça avec ce genre de femelle-là... commente Bébère.

– De toute façon, je vois pas comment tu pourrais faire, t'as pas son adresse, elle a changé ta fille d'école... poursuit Ahmed, avant de surenchérir : Sa mère la pute!... Pardon, madame, se reprend-il aussitôt en regardant Fatima et en mettant sa main devant la bouche.

– Si, il y aurait bien un moyen...

Tous les regards convergent vers lui.

– Lequel? questionne Bébère en rangeant la lettre dans la boîte en fer de Philippe.

– Que j'aille voir mes anciens beaux-parents pour leur tirer les vers du nez...

– C'est pas gagné... lâche Ahmed en se perdant de nouveau dans la contemplation de la blancheur du carrelage.

– Ça... commente Philippe.

– T'as une tof de ta fille? lui demande Ahmed.

– Une quoi?

– Une photo?

Philippe tire son portefeuille de sa poche et en ouvre les deux battants : d'un côté, sa carte d'identité, de l'autre, une photo de Claire. Ahmed s'approche.

– Sa mère la pute!... Euh, pas ta fille, l'autre, là... dit-il en désignant du menton la boîte en fer où Bébère a rangé la lettre.

– Je peux voir? demande Bébère.

Philippe lui tend le portefeuille. Il regarde la photo, sourit, le lui rend.

Fatima s'avance jusqu'à la table et, sans un mot, lui prend le portefeuille des mains. Ses yeux vont et viennent entre la photo et la carte d'identité.

— C'est quoi « Lafosse » ? l'interroge-t-elle.

— Mon nom de famille.

— J'avais bien compris, mais c'est d'où ?

— Je sais pas. Moi, je suis du Havre, mais mon nom, ça… je sais pas…

Elle referme le portefeuille et le lui rend. Le réfrigérateur s'arrête dans un hoquet et cède la place au silence.

— Tu vas faire quoi ? finit par demander Ahmed.

Les yeux dans le vide, Philippe respire profondément, avec une moue dubitative.

— Je sais pas…

Fatima le gifle. Tous échangent des regards stupéfaits.

— Comment ça, tu sais pas ? commence à hurler Fatima. Nardinamouk, mais tu vas remuer ton cul, oui !

— Fatima… balbutie Bébère.

— Hass !

Personne ne moufte. Oreilles en arrière pour Baudelaire, enroulées en turban autour de sa tête.

— Et toi, reprend Fatima, l'index pointé vers Philippe, tu vas aller voir les parents de l'autre charmouta, tu leur coupes la gorge s'il faut, mais tu remets pas les pieds ici avant d'avoir retrouvé ta fille !

Elle l'attrape par le bras et le traîne de force jusqu'au portillon ouvrant sur la cour intérieure. Baudelaire détale devant eux, tête basse et la queue entre les pattes.

– Allez, astrahh ! Toi aussi, lance-t-elle à Ahmed, r'fy !…

– Fatima… essaie de tempérer Bébère.

– Alsmt !

Les autres atterrissent dans la cour sous le regard désolé de Bébère.

– Et toi, au travail ! Chouf ! Chouf ! lui ordonne Fatima en revenant dans la cuisine. Lafosse… Le Havre… maugrée-t-elle entre ses dents.

Bébère et ses trois compères échangent des coups d'œil médusés.

– Bébère nardinamouk ! lui crie Fatima.

Avec un moulinet des mains, il leur fait signe qu'il viendra les voir plus tard et rejoint Fatima, déjà en cuisine en train de trancher la viande.

Entre chien et loup

LE DIMANCHE S'ACHÈVE. Un jour pâle quitte Versailles sur la pointe des pieds. Il est bientôt l'heure où Bon Papa et Bonne Maman rentrent de leur partie de bridge. Les arbres de leur rue sont encore dénudés et recroquevillés après un hiver qui n'en finit pas.

Dans les replis des ombres qui s'allongent et s'étirent avec l'indolence d'un week-end agonisant, Philippe et Baudelaire attendent depuis presque une heure. À chaque voiture qui s'engage dans la rue calme et globalement déserte, ils se redressent, puis se rassemblent dans une immobilité attentive. Les lampadaires s'allument, opacifiant les poches d'ombre de leur lumière projetée.

Une Mercedes gris métallisé tourne à l'angle de la rue, ralentit à leur approche et se gare devant une maison aux murs fraîchement ravalés. Les lumières rouges à l'arrière de la voiture et le moteur s'éteignent, laissant place au ronflement du système de refroidissement.

Jean-Paul et Marie descendent du véhicule et se dirigent paisiblement vers le portail de leur demeure.

– Bon Papa et Bonne Maman…

Ils se retournent, plissent les yeux en direction de cette voix qui vient de résonner dans leur dos. Découvrant Philippe et son allure dépenaillée par la rue, ils ont un léger mouvement de recul.

– Tiens, Philippe… Quelle bonne surprise… se reprend Bon Papa.

Malgré son sourire de façade détendu et assuré, Jean-Paul joue nerveusement avec ses clefs. Il tend la main à son ancien gendre qui se tient maintenant face à lui.

À pas lents, Baudelaire sort de l'obscurité en grognant, les poils du dos hérissés, les oreilles rabattues, la tête rentrée dans les épaules, les babines retroussées, les crocs saillants. Bon Papa retire brusquement sa main et ramène son bras le long du corps.

Soudain, Baudelaire aboie plusieurs fois en projetant son buste en avant, se replie sur lui-même sans cesser de grogner, comme s'il allait s'élancer, aboie de nouveau. À chacun de ses aboiements, Jean-Paul et Marie sursautent et reculent de quelques pas.

– Baudelaire…

Au son de la voix de Philippe, il s'immobilise et d'aboyer, mais grogne toujours d'une manière sourde et menaçante.

– Où sont-elles ? demande calmement Philippe.

– Je… bredouille Jean-Paul avec l'air de ne pas comprendre.

– Allez, allez, *Bon Papa*, on va pas y passer la nuit…

– Écoute-moi bien, espèce de minable…

Philippe l'attrape par le col de son manteau et le plaque contre le capot d'une voiture, coupant sa phrase et le serrant à l'étrangler par le revers de son vêtement. Marie étouffe un cri.

Dans l'empoignade, les clefs de Jean-Paul valsent dans les airs et s'abattent dans un cliquetis asphyxié contre le bitume.

— L'adresse et l'école, vite…

— Va… Ja… jamais… articule-t-il difficilement.

— Baudelaire…

Lentement, il avance vers Marie, qui recule à chacune de ses enjambées. Elle se retrouve acculée contre les barreaux du portail. Baudelaire s'arrête à quelques mètres d'elle.

— Dis-lui, Jean-Paul…

Les deux hommes continuent de se défier du regard.

— …

— …

Baudelaire se remet à japper, menaçant de s'élancer à tout moment. Marie se raidit contre la grille.

— Jean-Paul!!!

— …

— …

Baudelaire commence à avancer une patte. D'un trait, Bonne Maman lance à Philippe les mots qu'il demande.

— Baudelaire!

Celui-ci suspend son avancée. Philippe dévisage encore un instant Bon Papa, le relâche rageusement et s'écarte de quelques pas. Jean-Paul se masse le cou et rajuste son manteau. Baudelaire rejoint Philippe.

Il regarde une dernière fois ses anciens beaux-parents et, suivi de Baudelaire, disparaît dans les ombres du soir.

CARNAVAL

LA CLOCHE ÉLECTRONIQUE sifflant la fin des cours retentit. Des cris aigus résonnent jusque sur le trottoir où les parents attendent leurs petits monstres. Parmi eux, Sandrine regarde avec anxiété alentour. Laurent a passé son bras autour de son épaule dans une attitude protectrice.

À peine quelques minutes plus tard, les hurlements et les rires de tous les petits diables déguisés et maquillés pour le carnaval envahissent la chaussée. Ils se courent après, se jettent des serpentins, s'envoient des boulettes en papier multicolores au visage avec des sarbacanes de carton. La rue n'est plus qu'une bruyante farandole de couleurs, de costumes et de maquillages.

Poursuivies par une bande de quatre garçons armés de bombes à eau, Claire et ses trois copines sortent en courant. Claire se réfugie en rigolant de tout son souffle contre sa mère et réussit à se mettre ainsi hors de leur portée. Elle est habillée en princesse avec une robe où se mêlent du blanc, du bleu et un rose Renaissance, comme un ciel d'aurore.

Sandrine la prend par la main et l'entraîne à sa suite. Claire se penche en avant, le bras tendu par celui de sa mère qui s'éloigne rapidement. Sandrine se retourne vers elle.

– Allez, on y va!

– Mais euh… Je veux rester un peu!

Elle retire brusquement sa main de celle de sa mère et croise les bras avec une moue boudeuse.

– Claire… la menace Sandrine avec l'index pointé dans sa direction.

Laurent la rejoint, s'accroupit.

– Tu veux monter sur mes épaules?

Claire s'écarte et refuse.

– Bon, maintenant ça suffit… grince Sandrine.

Alors qu'elle va faire un pas vers elle, Baudelaire arrive devant Claire en remuant la queue. Il porte un nœud papillon arc-en-ciel autour du cou.

– Bonjour le chien!

Elle commence à le caresser.

– Claire, non! Il est peut-être méchant!

Baudelaire s'est assis et se laisse faire, la langue pendant.

– Aucun risque.

Sandrine se retourne et se retrouve face à Philippe et à sa dégaine dépareillée. Au son de la voix de son père, Claire relève la tête.

– Papa!

Elle se jette dans ses bras. Philippe la soulève et l'embrasse.

– Ma princesse!

– Maman avait dit que tu nous avais abandonnées…

– Jamais, ma princesse, jamais…

– C'est quoi ça? lui demande Claire en désignant sa barbe.

– C'est rien, je t'expliquerai…

Elle tire sur ses poils.

– Aïe!

Il la repose au sol. Elle montre Baudelaire du doigt.

– Il est à toi?

– Oui. Il s'appelle Baudelaire.

Celui-ci les rejoint et s'assoit entre eux.

– Je peux savoir à quoi tu joues, là? lui demande sèchement Sandrine.

Philippe se porte à sa hauteur.

– Moi aussi, ça me fait plaisir de te voir. Je crois qu'on a deux trois trucs à mettre au point…

– J'ai rien à te dire…

– Bien sûr que si…

Il se tourne vers Laurent.

– T'es venue accompagnée parce que tu avais peur du grand méchant loup?

Il lui tend la main.

– Philippe, le père de Claire…

Laurent regarde la main tendue de Philippe, puis croise les bras.

– Vous vous êtes bien trouvés tous les deux à ce que je vois, dit Philippe en revenant à Sandrine.

Laurent va pour s'avancer agressivement vers Philippe, mais celui-ci l'arrête d'un geste.

– Je te conseille pas, dit-il en désignant Baudelaire. Il est gentil tant qu'on l'est avec moi…

Laurent se ravise. Philippe revient à Sandrine.

– Je t'invite à prendre un café?

– Je crois pas, non…

– Mais si!

— Pas après ce que t'as fait à mes parents.

— Qu'est-ce qui s'est passé avec Bon Papa et Bonne Maman ? demande Claire.

— Rien ma princesse. Maman m'a écrit une lettre pour me dire que je te reverrai jamais, alors je suis juste allé les voir pour savoir où vous aviez déménagé et où était ta nouvelle école.

— Ok, coupe Sandrine, on va le prendre ton café, mais t'arrêtes…

— Tu m'as pas dit qu'elle avait bientôt l'âge de raison et qu'elle pouvait tout entendre ?

— Arrête !

Philippe se retourne vers Claire.

— Ma princesse, papa et maman vont discuter au café là-bas, au coin, je te confie Baudelaire ?

Claire fait plusieurs « oui » ravis de la tête.

— Je te propose pas de te joindre à nous ? lance Philippe à Laurent.

— Attends-nous dans la voiture, lui dit Sandrine, ça sera pas long.

— Ça, ça dépend de toi, commente Philippe en l'entraînant vers le café.

MOTS DOUX

ILS SONT ATTABLÉS l'un en face de l'autre. Le serveur dépose un café et un verre d'eau devant chacun d'eux et se retire. Philippe déchire le petit sachet de sucre, le verse dans sa tasse en regardant par la vitre, sourit. Sur le trottoir de l'école, un attroupement s'est formé autour de Claire. Tous jouent avec Baudelaire, lui envoyant une balle qu'il ramène ou le déguisant de cotillons et de chapeaux pointus.

– Bon, alors?

Philippe écrase tranquillement le sucre au fond de sa tasse.

– À partir d'aujourd'hui, tu me laisseras Claire tous les mercredis après-midi.

– C'est ça…

– Tu me l'amèneras à cette adresse, continue-t-il en glissant sur la table un petit papier où sont inscrites les coordonnées de Bébère, et tu repasseras la prendre en fin de journée. C'est tout ce que j'avais à te dire. Tu peux partir, si tu veux.

Il boit une gorgée de son café.

– Tu devrais le goûter, il est très bon.

Sandrine prend le petit papier.

– T'as trouvé un appartement?

– J'en ai l'air ?

– Pas d'appartement, pas de mercredi…

Philippe tire calmement un stylo de sa poche ainsi qu'une lettre à l'en-tête du cabinet de l'avocat du *Fleuron* et la pose devant Sandrine.

– C'est quoi ?

Il lui fait signe de lire. Sandrine soupire de lassitude, mais obtempère. À mesure que ses yeux parcourent la feuille, son visage se décompose.

– Mon avocat est prêt à envoyer ce courrier au juge demain matin, à la première heure, lâche Philippe d'un ton neutre.

Sandrine reste un instant méduse, les lèvres blêmes, puis rejette la feuille devant elle.

– Essaie de m'accuser d'enlèvement, et je te charge d'abandon du domicile conjugal…

– Alors qu'on était séparés de corps ? Ça m'a l'air difficile…

– Et la pension ?

– Je suis un peu SDF, si tu veux…

Ils se dévisagent.

– Papa a un très bon avocat…

– Pas avec la dernière lettre que tu m'as envoyée…

– Quelle lettre ?

– C'était quoi déjà ?… « Tu ne me retrouveras pas et tu ne reverras pas ta fille tant que tu ne m'auras pas versé les mois de pension », etc.

– Eh bien quoi ? Tu trouves quelque chose à redire à ça, peut-être ?

– Attends, ça c'est juste pour l'aspect enlèvement… Mais y avait un autre truc, pour l'abandon… Ah, ça y est : « Je croyais que te mettre à la porte t'aurait fait réagir »… Quelque chose dans ce goût-là…

Philippe termine son café et paie pour les deux.

– Je t'invite, ça me fait plaisir…

Sandrine soutient son regard, avant de détourner le sien et de le laisser errer dans la salle sans parvenir à le fixer.

– Ok, finit-elle par céder du bout des lèvres. Où est-ce que je peux te joindre ?

– C'est moi qui t'appelle. Note-moi tes numéros, dit-il en lui désignant la lettre de l'avocat et le stylo, fixe et portable.

Sandrine s'exécute et lui tend sèchement le tout.

– Je suis ravi, pas toi ?

Elle baisse les yeux. Philippe regarde par la vitre. Il sourit.

– Je savais qu'elle s'entendrait bien avec lui…

Entourée des autres enfants hilares, Claire lance une balle à Baudelaire. Il la rattrape au vol sous les applaudissements, mais, alors qu'il revient vers eux, il se met à boiter. Il lâche la balle. Dès qu'il essaie de reposer la patte par terre et de reprendre appui, il pousse des hurlements aigus de douleur.

– Nom de Dieu !

Philippe se lève d'un bond, sort en courant du café, rejoint Baudelaire, lui prend la patte, l'ausculte.

– Qu'est-ce qui s'est passé ? demande-t-il aux enfants avec précipitation.

Personne ne répond. Baudelaire fixe Philippe avec désarroi et hébétude. Il lui lèche compulsivement les mains.

– Ça va aller, lui dit Philippe en le caressant, ça va aller…

Lentement, il guide plusieurs fois sa patte vers le sol, mais quand elle va toucher le bitume, Baudelaire la rétracte instinctivement. Philippe lui caresse le dessus du crâne, s'éloigne de quelques mètres et lui fait signe de venir. Baudelaire abaisse sa patte, hésite, puis finit par la poser et par remarcher normalement jusqu'à lui. Il se met à remuer la queue et à aboyer comme si rien ne s'était passé. Claire s'approche de son père.

— On jouait et... lui dit Claire sans achever.

— Je sais, ma princesse, je sais...

Baudelaire trottine de nouveau au milieu des enfants.

EXAMENS COMPLÉMENTAIRES

D ANS LA CABINE du *Fleuron*, Baudelaire est de nouveau sagement allongé sur le flanc, les deux pattes du côté droit relevées, tandis que le jeune vétérinaire l'ausculte avec attention. Philippe est accroupi derrière son compagnon et tient sa tête entre ses mains en le caressant doucement. Édith de Rotalier et Franck, Dalida dans ses bras, sont debout sur le seuil, appuyés de part et d'autre de l'encadrement de la porte. Serge est assis en tailleur sur la couchette supérieure du lit superposé. Tous suivent des yeux les gestes lents et précis du vétérinaire. Le silence est rompu uniquement par les claquements humides des coups de langue que Baudelaire donne de temps à autre dans le vide.

Le vétérinaire cesse ses palpations, croise les bras, soupire.

– Alors ? demande Philippe.

Baudelaire s'assoit contre lui, il lui passe le bras autour du cou.

– Par rapport à la dernière fois, son état est stationnaire, les ganglions n'ont ni grossi ni diminué.

– Et donc ? interroge Édith de Rotalier.

– Je ne peux pas me prononcer d'une manière définitive, il me faudrait des examens plus approfondis.

— Mais votre avis à vous ? insiste Philippe.

— Ce qui s'est passé il y a quelques jours, d'après ce que vous m'avez dit, ne me porte pas à être très optimiste.

Des regards s'échangent.

— Enfin, encore une fois, s'empresse-t-il d'ajouter, je ne peux pas me prononcer dans un sens ou dans l'autre. Tous les cas sont envisageables. Votre chien n'a peut-être fait qu'un faux mouvement en attrapant la balle, d'où son boitillement momentané. Mais cela peut tout aussi bien être le symptôme du développement d'un cancer du système lymphatique.

Nouvel échange de regards dans la cabine.

— Que me conseillez-vous de faire ? demande Philippe en rompant le silence.

— Des examens complémentaires, le plus rapidement possible. La seule chose, c'est qu'ils sont un peu chers…

— Combien ?

— Aux alentours de cent euros. Peut-être un peu plus.

— Je touche mon premier RMI en fin de semaine, ce n'est pas un problème.

Le vétérinaire sort un agenda de sa sacoche.

— Vous pouvez venir me voir lundi prochain, à Maisons-Alfort ?

— Quelle heure ?

— 14 h 30 ?

— Parfait.

Il note toutes les coordonnées sur un papier, le donne à Philippe et se lève.

— Encore une fois, ne vous inquiétez pas plus qu'il ne faut.

Il rassemble ses affaires et, avec Franck, passe dans la cabine voisine et commence à examiner Dalida. Édith de Rotalier caresse le bras de Philippe avec un demi-sourire réconfortant et s'en retourne à ses activités. Serge descend de sa couchette et lui donne une tape amicale sur l'épaule.

– Viens, je te paie un clope au fumoir.

Précédés de Baudelaire, dandinant et guilleret, ils sortent dans le couloir.

– Et t'inquiète pas, les grands poètes sont immortels…

CUISINE DE MESSES BASSES

L E LENDEMAIN, Philippe passe chez Bébère, mais ne trouve que Fatima, en train de préparer le lieu pour l'heure du déjeuner.

— Il est parti au marché, lui dit-elle en regardant sa montre, il devrait plus tarder.

— Je repasserai plus tard, merci…

— Tu peux l'attendre ici, si tu veux.

Philippe la dévisage, un peu ahuri.

— Il m'a dit pour ta fille… Assieds-toi.

Elle tire une chaise. Philippe reste d'abord immobile, puis prend place. Baudelaire se couche entre ses pieds.

— T'as faim?

— Je… euh… bredouille Philippe, décontenancé.

— T'as faim, le coupe-t-elle d'autorité. Je vais faire des boulettes.

Sans lui laisser le temps de rétorquer quoi que ce soit, elle se met à l'ouvrage.

— Tu la revois quand?

— Dès l'arrivée des beaux jours.

— Pourquoi pas avant?

– Ben... Je préfère passer du temps avec elle, à me promener dans Paris avec Baudelaire, plutôt que d'aller m'enfermer au cinéma ou dans un café...

Fatima hoche la tête dans un mouvement d'approbation. Elle revient avec une assiette et la gamelle de Baudelaire. Celui-ci se rue dessus.

– Merci...

Elle s'assoit en face de lui.

– J'ai appelé ta mère.

Philippe manque de s'étouffer.

– Bébère était pas d'accord, mais je me suis dit...

– ...

– Je l'ai rassurée. On laisse pas une mère dans le souci.

– Vous lui avez dit quoi?

– Nardinamouk, depuis quand tu me vouvoies!

Philippe reste quelques secondes interdit. Baudelaire racle déjà bruyamment le fond de sa gamelle.

– Tu lui as dit quoi alors? reprend-il.

– La vérité.

– Comment ça?

– La vérité!

– ...

– Mais je lui ai dit que ça allait mieux, et que ça allait continuer.

Baudelaire se redresse, les observe tour à tour en se pourléchant les babines, puis se rallonge entre les pieds de Philippe en soufflant.

– Ça lui ferait plaisir que tu l'appelles...

– ...

— …

— Fatima, je… Franchement, je sais pas…

— Je sais, et elle aussi.

— Ça complote en cuisine ou bien?

Bébère vient d'entrer par l'arrière-cour. Baudelaire va à sa rencontre et lui fait la fête.

— Hé, comment va mon poète préféré?

Il pose ses affaires, câline un instant Baudelaire avant de rejoindre Fatima et Philippe.

— Alors, ce diagnostic?

Tandis que Philippe lui raconte brièvement ce que lui a dit le vétérinaire, Baudelaire soulève plusieurs fois le coude du maître des lieux avec son museau. Le Berbère d'Alsace lève son bras et il pose sa tête contre ses jambes.

— On va t'aider, lui dit Fatima à la fin de son récit.

Bébère la dévisage avec étonnement.

— Je touche mon premier versement RMI après-demain, ça va aller.

— On va t'aider quand même, tranche Fatima en repartant en cuisine.

Philippe se lève. Bébère le regarde avec l'air de ne plus rien y comprendre et fait un geste évasif de la main. Baudelaire s'assoit, au garde-à-vous.

— Je dois combien pour les boulettes?

— Laisse, rétorque Fatima.

Philippe jette un coup d'œil interrogateur à Bébère, qui lui répond d'une moue approbatrice.

— Merci.

– Et pense à ce que je t'ai dit, ajoute Fatima.

– Non mais c'est quoi cette cuisine de messes basses ? s'énerve faussement Bébère.

– Un truc entre nous… lui répond sa femme.

DIAGNOSTIC

LA VAGUE DE FROID descendue de Sibérie est remontée souf-fler sur ses steppes. Elle a cédé la place à un air plus doux et plus chargé, haché de crachins irréguliers.

Assis dans la salle d'attente des consultations de Maisons-Alfort, Philippe se ronge un ongle tandis que Baudelaire somnole, tranquillement allongé à ses pieds.

Une enveloppe à la main, le jeune vétérinaire du *Fleuron* apparaît sur le seuil et les invite à le suivre. Une fois dans son bureau, ils s'assoient en face de lui.

— Comme je le craignais, commence-t-il après avoir posé l'enveloppe devant lui, il s'agit bien d'un cancer des ganglions lymphatiques…

Philippe se passe la main sur le visage et regarde par la vitre ouvrant sur l'extérieur. La pluie qui tombait lorsqu'ils sont arrivés a cessé. Le soleil se fraye une percée momentanée entre deux nuages et se réfléchit vivement sur le bitume mouillé.

— Y a-t-il des solutions ?

— Deux, mais elles ne sont pas garanties. Car il peut y avoir rémission, puis rechute, ou pas de rémission du tout.

— Lesquelles ?

– Tout d'abord la radiothérapie, et ensuite, s'il n'y a pas de résultat probant, la chimiothérapie.

Philippe baisse la tête vers Baudelaire, assis à ses côtés, lui caresse doucement le dos.

– Dites-moi tout, demande-t-il.

– La radiothérapie se pratique sous anesthésie générale et se compose de douze séances réparties sur quatre semaines. Même chose pour la chimiothérapie. On peut également coupler les deux traitements, mais c'est en général très éprouvant pour l'animal. Un seul l'est déjà suffisamment.

Baudelaire a posé sa tête sur les cuisses de Philippe et pousse de petits ronflements d'aise.

– Les effets secondaires ?

– Ils peuvent être nombreux. Les plus courants sont la perte des poils, de l'appétit et de la soif. Il y a donc des risques de déshydratation et de carences alimentaires, qui peuvent être problématiques en raison de la fatigue et de l'affaiblissement dus à la lourdeur du traitement.

– Ça n'arrivera pas, j'y veillerai.

– D'autre part, poursuit le vétérinaire, il faut compter mille deux cents euros pour les douze séances…

Philippe a un haussement de sourcils fataliste.

– Je sais, c'est très cher, et très mal pris en charge par les assurances.

– D'autant que j'en ai pas…

– Je me doute bien…

Les deux hommes se dévisagent. Baudelaire a fermé les yeux.

– Combien de temps avons-nous ?

– Le système lymphatique permet la circulation dans tout le corps, hors des vaisseaux sanguins, des anticorps et des macrophages nécessaires au bon fonctionnement du système immunitaire. Il est en contact avec la plupart des organes vitaux, comme le cœur ou la rate. La lymphe se purge des déchets cellulaires par le passage dans les ganglions. Le terrain est donc ici particulièrement propice à une généralisation du problème.

– Je vois. Le plus tôt on agit, le plus de chance on a de…

Philippe n'achève pas. Le médecin opine du chef.

– Je suis désolé.

– Même avec mes quatre cents euros et quelques de RMI…

– Je peux essayer de négocier un paiement fragmenté et étalé sur plusieurs mois, lui dit le vétérinaire. Je ne peux rien vous promettre, mais…

Il tend l'enveloppe contenant le résultat des analyses à Philippe.

– Je vous raccompagne…

CONCILIABULE

LE RONRONNEMENT DU RÉFRIGÉRATEUR circule en rico-chets dans la cuisine de Bébère. Le Berbère et Philippe sont assis l'un en face de l'autre autour de la petite table. Fatima est adossée au plan de travail, et Ahmed, devenu un habitué du lieu, est assis sur le portillon en bois rouge. Tous ont les yeux fixés sur un au-delà invisible ou rivés vers la vrille intérieure de leurs pensées. Seul Baudelaire les détaille tour à tour, les oreilles raides d'interrogation devant leurs mines déconfites.

– Sa mère la pute! lâche soudain Ahmed, avant de demander pardon à Fatima d'un geste de la main.

– T'excuse pas, je suis d'accord, dit-elle.

– Le véto a fait ce qu'il a pu, commente Philippe, après il n'est pas seul à décider…

Tous se retranchent derrière leur mutisme initial.

– Avec ce paiement étalé, finit par dire Bébère, on aurait pu… Mais là, même à nous tous…

– Je sais, lui dit Philippe, et je vous le demande pas.

Tous observent un instant de silence.

– Non, reprend Philippe, il faut juste que je retrouve du boulot… Enfin, *juste*… Et puis un appartement… La directrice

247

du *Fleuron* me donne une semaine de plus à bord, mais après… Avec le traitement, dormir dehors pour Baudelaire…

Ses doigts pianotent nerveusement sur la table.

— Mais là, le cercle vicieux, continue-t-il, pas de boulot, pas d'appart, et pas d'appart, pas de boulot…

Il marque une pause.

— Et puis le temps joue contre moi… Même si je retrouve un boulot, ce ne sera pas avant deux, trois mois… dans le meilleur des cas… Et d'ici là…

Il regarde Baudelaire. Celui-ci aboie dans sa direction et vient se blottir contre lui.

— Il faut réfléchir, commente Bébère, il faut réfléchir…

— Il faut que je trouve de l'argent, tranche Philippe, pour ces douze premières séances, le temps de… Toujours le temps!

Il laisse errer son regard dans la cuisine et le pose sur celui de Fatima. Elle tourne la tête avec un imperceptible haussement d'épaules. Elle retire son tablier et entraîne Bébère et Ahmed à l'extérieur.

— Mais quoi encore? s'insurge Bébère.

— Allez, allez, fialkharj!

Baudelaire scrute le mouvement vers la cour intérieure et Philippe, qui reste assis sans bouger. Philippe lui fait signe de le rejoindre. Fatima leur jette un coup d'œil en refermant derrière elle le portillon en bois rouge, et elle disparaît dans l'obscurité de la cour.

Philippe se lève et, suivi de Baudelaire, va jusqu'au téléphone posé en dessous de l'étagère des livres de Bébère. Il le fixe un instant, prend le combiné, se ravise, attend encore, puis finit par décrocher et composer un numéro. Une sonnerie. Deux sonneries. Trois sonneries. À la quatrième :

– Allô ?

– C'est moi, maman… C'est Philippe…

DIVISION INTERNATIONALE
DU TRAVAIL

GRÂCE À LA MÈRE DE PHILIPPE, Baudelaire commence les
séances de radiothérapie la semaine suivante. Quelques
jours avant le début du traitement, elle est venue à la capitale et
a apporté à son fils deux mille euros en liquide de ses petites économies personnelles. Elle a pris une journée de congés sans rien
dire à son mari, et a fait mine de partir travailler comme d'habitude à 8 heures du matin.

Ensemble, mère et fils sont allés ouvrir un compte postal rue
Littré, sur lequel Philippe touchera désormais son RMI. Ils ont
ensuite déjeuné chez Bébère et Fatima où, avec Ahmed, présent
pour l'occasion, ils ont mis sur pied un véritable plan de bataille,
entré en vigueur dès que se sont refermées les portes du train
ramenant la mère de Philippe dans sa Normandie.

Tous les matins, Philippe prospecte pendant deux heures les
offres d'emploi dans son secteur de compétences depuis un cyber-
café du quartier. Sur son CV, il est domicilié à l'adresse du Berbère. Ahmed et son petit frère Mouloud lui ont débloqué son
ancien téléphone pour que, avec une carte, il puisse être joint. Et,
toutes les heures, Mouloud se connecte sur la boîte mail de Philippe et vérifie s'il a reçu ou non des réponses à ses candidatures.

L'après-midi, lorsqu'il n'est pas à Maisons-Alfort avec Baudelaire, il suit, grâce à l'argent maternel, des cours de code pour récupérer son permis de conduire. Le soir, dans la cuisine de Bébère, il rédige des lettres de motivation manuscrites pour les annonces qu'il a retenues le matin, téléphone à sa fille pour lui raconter une histoire, et à sa mère pour l'informer de ses avancées.

Trois semaines plus tard, les premiers rendez-vous pour des entretiens d'embauche tombent. Le branle-bas de combat est lancé : Fatima coupe les cheveux de Philippe et l'envoie raser sa barbe des rues à grands coups de jurons berbères. Ahmed et Mouloud lui trouvent des chaussures, des cravates, des chemises et des costumes « moins chers que gratuits », selon leur expression hilare, puisque tout droit tombés du camion.

Recommence alors la grande farandole des recruteurs, DRH et psychologues en tout genre, et leur mascarade de questions farfelues :

– Vous dormez pieds nus ou avec des chaussettes ?

– Quels sont vos rapports avec votre mère ?

– Vous êtes plutôt slip ou caleçon ?

– Avez-vous déjà eu peur de finir à la rue ?

– Vous rêvez en couleurs ou en noir et blanc ?

– Vous aimez les chiens ?

Sans compter les innombrables interrogations que suscite dans son CV l'absence d'activité pendant près d'un an, et que Philippe bouche par une « année sabbatique » prise pour « élargir » sa « connaissance de l'âme humaine ». Invariablement, les réponses se résument à ces trois mots :

– On vous rappellera.

Puis l'attente, les semaines qui passent, l'espoir miné par le doute et le silence, car personne ne rappelle jamais, même pour simplement dire « non ».

Parallèlement, Baudelaire effectue ses trois séances de radiographie par semaine. Il s'y prête sans rechigner, mais traîne de plus en plus la patte. Il reste la plupart du temps allongé dans la cuisine de Bébère, qui veille à le faire boire et manger suffisamment.

Arrive le matin fatidique où ils descendent du *Fleuron* pour retrouver le bitume des nuits fermes. Affaibli par ses premiers jours de traitement, Baudelaire marche avec peine et lenteur. Fatima décrète qu'ils camperont dans la cuisine du kebab jusqu'à ce que Baudelaire ait retrouvé le poil de la bête qu'il a commencé à perdre ou que Philippe ait trouvé du travail et soit sur le point d'emménager quelque part.

Mais lorsque avril tisse déjà les fils d'un redoux mensonger sur la ville, toujours rien, si ce n'est le même « On vous rappellera », et le silence indifférent dans lequel il s'évanouit.

Rayon de soleil

PHILIPPE SE PROMÈNE avec sa fille et Baudelaire sur les quais de Seine. En ce premier mercredi de mai, l'hypocrisie d'avril a été chassée par un soleil qui charrie les premières douceurs au parfum estival. Les soirées et les nuits sont encore fraîches, mais elles se chargent de plus en plus de la tiède luminosité du jour.

Autour d'eux, les jupes ont raccourci, les décolletés se sont échancrés. Les terrasses, les pelouses, les murets et les moindres recoins exposés sont pris d'assaut par des corps blanc hiver, qui se dénudent dans l'espoir avide de prendre enfin des couleurs.

Baudelaire trottine quelques mètres devant eux. Il est amaigri, et le pelage encore crevassé par endroits, mais ses poils commencent à repousser çà et là.

— Les résultats sont concluants, a dit le vétérinaire à l'issue des tests suivant la radiothérapie. Nous nous reverrons mi-juin pour des examens de contrôle.

Devant l'étalage d'un bouquiniste, Philippe détaille les rayonnages et en extrait un livre à la couverture blanche jaunie par les années : *Le Spleen de Paris*, Charles Baudelaire, Éditions Cluny. Il l'ouvre. Il est en très bon état. Le verso de la dernière page indique que « *ce livre est sorti des presses de l'imprimerie de Darantière, à Dijon, en mars M. CM. XXXVII* ».

– Combien ?

– Quinze euros.

Il l'achète et ils reprennent leur balade.

– C'est quoi ? lui demande Claire.

– Un cadeau pour Bébère.

– Mais c'est quoi ?

– Des poèmes en prose de Charles Baudelaire.

– C'est qui ?

– Un grand poète français du XIXᵉ siècle, et le poète préféré de Bébère. C'est à cause de lui qu'on appelle Baudelaire Baudelaire.

– Pourquoi ?

Ils s'assoient sur un banc. Baudelaire passe sa tête sous le bras de Claire. Philippe ouvre le livre en faisant attention de ne pas plier la tranche. Son portable sonne. Sur l'écran : « Ahmed ». Philippe rejette l'appel, coupe son téléphone et se met à lire « Les bons chiens » à Claire.

– C'est beau, tu trouves pas ? lui demande-t-il après sa lecture.

Claire fait plusieurs « oui » de la tête en balançant ses pieds dans le vide avec un air songeur.

– Papa ?

– Oui, ma princesse ?

– Comment tu fais pour trouver de l'argent ?

– Comment ça ?

– Ben, sans avoir de travail ?

– Aah...

Philippe regarde une péniche remplie de touristes passer sur la Seine.

– Tu veux que je te montre ? demande-t-il à sa fille.

– Oui !!!

– Ok…

Il se lève et emmène Claire s'asseoir sur le muret face au banc. Baudelaire les observe avec des oreilles en points de suspension.

– Surtout tu dis rien… Tiens, donne-moi ta casquette…

Claire obtempère. Philippe retire sa veste, la laisse à sa fille, ouvre sa chemise, s'ébouriffe les cheveux.

– Je suis un peu trop propre, mais bon…

Après un clin d'œil à Claire, il retourne prendre place sur le banc, enlève ses chaussettes, ses chaussures, qu'il passe autour du cou après en avoir noué les lacets, ramène ses jambes et ses pieds sous ses fesses, pose la casquette par terre, ouvre le livre qu'il vient d'acheter et commence à lire au hasard.

Baudelaire s'est assis sur le banc à côté de Philippe. Dès que quelqu'un passe, il le fixe, oreilles dressées, la tête penchée dans le sens de sa marche. Certains l'ignorent totalement, d'autres sourient, continuent. Un homme s'arrête, perplexe, fouille ses poches, mais, à cause des simagrées de Baudelaire, Claire éclate de rire. L'homme la regarde, se ravise et s'en va. Claire rit de plus belle.

– Ah non, si tu ris, ça marche pas ! lui dit Philippe en riant à son tour devant le visage radieux de sa fille.

Il se rhabille et ils reprennent leur flânerie. À l'heure où la lumière prend ses teintes ocre, ils remontent en direction de Châtelet et s'engouffrent dans le métro.

– Ne ris pas cette fois… dit-il à Claire quand la rame arrive sur le quai.

Philippe assoit Claire sur un strapontin à côté de lui, lui prend sa casquette et se met en place avec Baudelaire. Il pose la casquette au sol, ouvre le livre qu'il a acheté. Au lieu de lire, il regarde sa fille et raconte à voix haute l'histoire du *Prince des Étoiles et de la princesse de l'Aurore*. Au début, quand sa voix fait retentir les premières phrases, l'indifférence se répand dans le wagon et abaisse son rideau de fer sur les visages. Puis, à mesure qu'il continue de faire semblant de lire sans interruption, sans bouger ni descendre à l'arrêt suivant, les masques se lézardent, s'effritent, se fendent et tombent. Au fil des stations, la casquette de Claire émet des tintements de plus en plus éclatants.

À Montparnasse, une religieuse arrête Philippe sur le quai.

– Merci. Merci de mettre un peu de poésie dans leur vie.

Elle leur sourit et s'en va. Claire se jette dans les bras de son père et ils rejoignent la vie à l'air libre.

Lorsqu'ils arrivent chez Bébère par l'arrière-cour, Ahmed se rue sur lui.

– La vie de ma mère, t'étais où! J'ai essayé de te joindre toute la journée! Je t'ai laissé… je sais pas, trente messages au moins!

Philippe lâche la main de sa fille. Il interroge Fatima et Bébère, dont les visages sont graves, fermés. Même Mouloud, le petit frère d'Ahmed, est là.

– Qu'est-ce qui se passe? Un problème? demande-t-il inquiet.

Ahmed sort un mail imprimé par Mouloud et le lui tend. Philippe le déplie et le lit en silence. Il ouvre des yeux grands comme l'Himalaya.

– Y se passe que t'as le job, tête de clodo!

CRÉMAILLÈRE

QUELQUES JOURS APRÈS AVOIR SIGNÉ son contrat pour un début le 1er juin, Philippe trouvait une chambre de bonne de 18 m² dans le quartier d'Alésia.

Un midi, une femme d'une cinquantaine d'années, aux allures de grande bourgeoise et de bonne vivante, était entrée chez Bébère et avait commandé le « Spécial Berbère ». Le couple avait noué connaissance avec elle. Elle sortait d'un restaurant gastronomique et avait encore une faim de loup.

– Vous imaginez, disait-elle, on paie des fortunes pour trois radis nageant dans une virgule de sauce! Mais où va la France?... Hum, très bon votre « Spécial Berbère »... Voilà, ça c'est roboratif!

Au détour de la conversation, elle avait expliqué à Bébère et Fatima qu'elle était propriétaire d'une cinquantaine de chambres de bonne dans le XIVe arrondissement, et qu'elle ne les louait qu'à des étudiants étrangers ou à des RMIstes. Veuve d'un riche industriel, elle avait investi une partie de sa fortune dans de petits placements immobiliers aux rendements rapides et réguliers.

– Évidemment! s'était-elle exclamé devant les regards éberlués de Fatima et Bébère. Il n'y a rien de mieux que les RMIstes!

La CAF me verse directement leurs APL, qui correspondent à quelques euros près au loyer que je réclame pour toutes mes chambres. Vingt ans que je fais dans le RMIste, jamais de retard dans les versements, jamais! Tous les 5 du mois, réglé comme du papier à musique…

— Et pour quelqu'un qui viendrait de retrouver du travail, encore RMIste à ce jour? lui avait alors demandé Bébère.

— Faut voir, lui avait-elle répondu avec une pointe de suspicion au mot « travail ». J'ai quelque chose qui se libère la dernière semaine de mai. Encore RMIste à ce jour, vous dites?

Bébère s'était excusé et s'était éclipsé en cuisine pour téléphoner à Philippe.

— Ramène-toi immédiatement!

Philippe avait fait au plus vite. L'idée qu'il allait bientôt retravailler et perdre son RMI ne plut tout d'abord pas à sa potentielle future propriétaire, mais elle avait littéralement fondu devant Baudelaire et ses facéties.

— J'en ai sept à la maison! lui avait dit la femme.

Philippe lui avait alors raconté la radiothérapie, d'où son pelage crevassé par endroits.

— C'est bon, avait-elle dit en se levant, vous l'avez. Tenez, voici ma carte.

Philippe l'avait prise ainsi que la main qu'elle lui tendait.

— Je suis madame Daubarot, mais tout le monde m'appelle La Patronne!

En cette fin d'après-midi, tous sont là pour aider Philippe à emménager: Ahmed, Mouloud, Bébère et Fatima. Les deux Berbères lui ont donné un vieux sommier et du mobilier qui encombraient leur cave. Ahmed et Mouloud lui ont trouvé un matelas et un réfrigérateur tombés d'on ne sait où, ainsi qu'une caisse de champagne pour pendre la crémaillère le soir même. La chaleur de juin a déjà jeté une chape de plomb sur la ville. Les allers-retours jusqu'au septième étage sans ascenseur se font dans la sueur et la bonne humeur, en enjambant régulièrement Baudelaire qui ne cesse de les suivre. Depuis deux semaines, il a repris du poids et ses poils ont commencé à repousser.

Alors qu'il s'avance pour venir se glisser au milieu du convoi qui est en train de monter le sommier, Baudelaire s'immobilise, balance la tête de gauche à droite et d'avant en arrière, puis tombe au sol, inanimé.

LE COULOIR DE LA MORT

BAUDELAIRE A REPRIS SES ESPRITS. Philippe et Bébère sont penchés sur la table où il est allongé, et lui tiennent la tête en le caressant. Le jeune vétérinaire finit de lui faire une ponction.

– C'est ce que je craignais, dit-il.

La vieille Fiat de Bébère n'a jamais traversé Paris jusqu'à Maisons-Alfort aussi vite.

– Qu'y a-t-il? demande Philippe.

– Du sang dans l'estomac et dans les intestins, répond le vétérinaire. C'est pour ça qu'il a regrossi.

– Ce qui veut dire? bredouille Bébère.

– La rémission due à la radiothérapie n'était que momentanée. Le cancer s'est généralisé et a attaqué la rate et le foie.

Silence. Ses yeux croisent ceux de Philippe et Bébère.

– Soit on lui donne des cachets pour arrêter les saignements internes, soit on ouvre pour voir l'étendue des dégâts et, s'il est encore temps, on pratique une ablation de la tumeur. Mais…

– Mais? l'interrompt Philippe.

– C'est une opération à risques. Il est possible que Baudelaire ne se réveille pas…

Échanges de regards.

– C'est à vous de décider, conclut le vétérinaire.

Philippe lâche Baudelaire et, la main sur la bouche, fait quelques pas dans la pièce. Dehors, les arbres bruissent de feuilles. Le jour et l'été triomphent sans partage des longs mois d'hiver et de nuit.

– Allez-y, finit-il par dire.

Le vétérinaire appelle des infirmiers et fait préparer le bloc opératoire. Ils prennent Baudelaire, lui passent une laisse et une muselière avant de l'attacher dans un couloir, à la porte du bloc.

Philippe et Bébère s'accroupissent, le caressent et s'efforcent de lui sourire d'une manière rassurante, mais Baudelaire trépigne, gémit en tentant d'aboyer sans succès.

– Il faut y aller maintenant, leur dit le vétérinaire.

Philippe lui donne une dernière caresse et, suivi de Bébère, s'éloigne à pas lents dans le couloir blanc. Baudelaire va pour les suivre, mais la laisse le retient. Il tire dessus de toutes ses forces, pousse des couinements de plus en plus aigus entre les lanières de la muselière.

Philippe se retourne.

– Faites-lui une piqûre, dit le vétérinaire aux infirmiers.

Ceux-ci essaient de tenir Baudelaire, mais il se débat dans tous les sens, geint comme on hurle en étouffant.

Philippe revient sur ses pas.

– Détachez-le.

Tous le regardent, éberlués.

– Détachez-le !

Le vétérinaire le rejoint.

– Il va mourir, lui dit-il.

– Pas comme ça.

Le Spleen de Paris

L a Fiat de Bébère s'arrête en double file devant l'Académie française, à l'angle du pont des Arts. Allongé sur les genoux de Philippe, Baudelaire est enroulé dans la couverture avec laquelle il a fait l'aller-retour à Maisons-Alfort.

Portant Baudelaire dans ses bras, Philippe descend. Bébère se penche pour refermer la portière.

– Tu es sûr que…

Philippe hoche la tête. Bébère acquiesce également en silence, referme la portière et démarre.

Un jour splendide se meurt sur Paris, éclairant le ciel d'un mélange de teintes fauves et Renaissance. Sur le pont des Arts, des groupes pique-niquent, boivent de la bière, jonglent sur de la musique ou passent simplement d'une rive à l'autre.

Philippe s'assoit sur un banc laissé libre, face au soleil couchant. Il rajuste la couverture sur Baudelaire, cale sa tête dans le creux de son bras pour qu'il puisse voir le crépuscule montant et le berce dans un doux mouvement de balancier. Baudelaire tremble légèrement, les traits creusés par la douleur.

– Tu sais que, en anglais, spleen veut dire « rate »…

Il regarde Baudelaire. Ses yeux se ferment. Il lutte pour les garder ouverts. Certains de ses membres sont raides et froids.

– Il était une fois, commence Philippe en fixant l'horizon, dans des temps très anciens, un jeune homme et une jeune femme. Ils s'aimaient, mais appartenaient à deux tribus ennemies. Ils ne pouvaient se retrouver qu'à la nuit tombée. À cette époque, les étoiles n'existaient pas encore. La nuit était le territoire où les dieux et les esprits des enfers se livraient une guerre farouche. Le soir, tout le monde rentrait chez soi et n'en sortait qu'à l'aube levée. Tout le monde, sauf ce jeune homme et cette jeune femme. Leur bonheur était tel que, lorsqu'ils étaient ensemble, leurs corps devenaient lumineux, et cette lumière troublait l'obscurité et les plans des luttes divines. Les puissances célestes et les forces souterraines décrétèrent une trêve exceptionnelle. Elles décidèrent de s'allier pour capturer les deux amoureux. Elles les séparèrent. Le jeune homme fut emprisonné dans le ciel et dans la nuit, et la jeune fille fut condamnée à ne vivre que sur la terre et dans la lumière du jour. Le jeune homme pleura tellement que ses larmes percèrent le rideau nocturne de petits accrocs scintillants qui devinrent les étoiles. Par ces brèches étincelantes, il scrutait sans relâche la surface du globe pour tenter d'apercevoir sa bien-aimée. Celle-ci se levait avec l'aurore et, pendant les quelques minutes où les étoiles s'effacent lentement de la pâleur du ciel, elle fixait à s'en étourdir, sans jamais ciller, les mille yeux de son amoureux. Ses pleurs inondaient alors le monde d'une fine pellicule qu'on appelle aujourd'hui rosée…

Philippe cesse de bercer Baudelaire, le regarde, lui caresse le museau et les oreilles. Il a fermé les yeux. Il ne tremble plus. Il ne respire plus. Ses traits sont apaisés.

POUSSIÈRES D'ÉTOILES

LES RUES SONT PLEINES.
Une boîte en fer familiale de sablés d'Alsace sous le bras, Philippe descend la rue de Rennes. Le samedi soir enveloppe la ville d'une légère euphorie gorgée des promesses de la nuit à venir. Un vent tiède court sur les trottoirs.

Certaines femmes qu'il croise le fixent du regard avant de le détourner en dissimulant un demi-sourire.

Il s'engage sur le boulevard Saint-Germain et bifurque jusqu'à la place Saint-Michel. On s'y retrouve pour la soirée ou on s'y quitte pour se rendre ailleurs. Les terrasses sont bondées.

Alors qu'il passe devant la fontaine, une jeune femme l'arrête :

– Philippe ?

Il se retourne et la dévisage.

– Je suis Claire. On s'était rencontrés l'été dernier, dans un square aux Invalides.

– Oui ! Je me rappelle très bien… Alors, ils ont fini par vous embaucher ?

– Non, mais j'ai fini par trouver ailleurs.

– Tant mieux.

Les yeux de Claire furètent un instant comme si elle n'osait le regarder en face.

— Vous avez l'air d'aller bien, finit-elle par dire.

— Vous aussi.

Silence.

— Je suis désolée.

— De quoi?

— Les jours suivants, je ne suis pas revenue.

— Je comprends.

Elle sourit.

— Qu'est-ce que vous faites? lui demande-t-elle en désignant sa boîte de sablés d'Alsace.

— Je vais rendre un dernier hommage à un ami.

Claire fronce les sourcils.

— C'est une longue histoire, ajoute-t-il.

Nouveau silence.

— J'ai rendez-vous avec des copains, mais…

Claire fouille dans son sac. Elle en sort un calepin et un stylo.

— … je vous laisse mon portable, si vous voulez boire un verre un de ces jours, pour me faire pardonner…

— Laissez, l'interrompt-il. Vous êtes pas obligée.

— Mais je me sens pas du tout obligée…

Philippe la regarde, amusé.

— Alors on va faire autrement…

— Oui?

— C'est moi qui vous donne mon portable. Comme ça, c'est vous qui m'appelez, si vous en avez envie.

— D'accord!

265

Il lui donne son numéro. Son « 06 », comme dirait Ahmed.

– Bon… Alors à bientôt ? lui dit Philippe en s'éloignant.

– Oui, à bientôt, lui répond Claire en partant dans la direction opposée.

Philippe traverse la place, longe les quais et marche jusqu'au pont des Arts. Ce soir encore, on pique-nique, on boit de la bière ou du rosé, on danse ou on jongle sur de la musique, on passe d'une rive à l'autre.

Sur le banc où il était assis avec Baudelaire, deux amoureux s'embrassent. Il marche un peu plus loin et s'accoude à la rambarde. Il fait bientôt nuit.

Alors qu'il contemple les flots sombres et calmes de la Seine, il se redresse, cale la boîte de sablés contre la balustrade et la tient de sa main gauche, prend son portable et compose un numéro. Après trois sonneries :

– Allô ?

– Sandrine, juste pour te confirmer que je prendrai Claire le week-end prochain.

– Bien…

– Tu peux me la passer ?

Pas de réponse. Juste le bruit du combiné que l'on pose sur une table. Puis des petits pas accourent en claquant sur le sol.

– Papa !

– Ma princesse ! On se voit le week-end prochain ?

– Oui !

– Tu sais, Baudelaire ne sera pas avec nous.

– Pourquoi ça ?

Philippe regarde vers l'horizon. Quelques résidus de soleil éclairent encore faiblement un lambeau de ciel. Il fait presque nuit.

– Baudelaire a rejoint le prince des Étoiles et la princesse de l'Aurore.

– ...

– Je t'expliquerai. Mais ne sois pas triste. De là où il est, il veille sur nous... Tu veux une histoire?

Claire ne répond pas, mais il l'entend faire « oui » de la tête. Il lui offre sa préférée.

– Je t'en raconterai plein d'autres le week-end prochain, d'accord?

– D'accord...

– Bonne nuit ma princesse, fais de beaux rêves.

Ils raccrochent. Philippe lève les yeux au ciel. Il fait maintenant tout à fait nuit. Les premières étoiles percent déjà l'obscurité.

Le bip de son portable retentit, lui indiquant qu'il vient de recevoir un SMS. Il regarde. Le texto laisse apparaître le numéro de l'expéditeur avec pour seul message : « Claire, la jeune femme du square. » Philippe sourit et remet son téléphone dans sa veste.

Il ouvre la boîte de sablés. Lentement, il répand les cendres de Baudelaire. Elles s'élèvent en spirales désordonnées, tourbillonnent en scintillant dans l'air et montent dans le ciel se mêler aux lumières étincelantes de la ville comme autant de poussières d'étoiles.

REMERCIEMENTS

Mes trois fées :

Tatiana de Rosnay, Jessica Nelson, Anne Fontaine.

Mes frères et sœurs de cœur, lectrices et lecteurs intransigeants et bienveillants :

Juan Torreiro, Benoît Rivière, Vladimir Consigny, Yaël Hirsch, Claire Chevrier, Tristane Banon, Layticia Audibert, Christel Noir, David Koubbi, Laure Baril, Axel Kiener, Sara Mortensen, Richard Hervé, Julien Négui, Sophie Couret-Delègue, Emmanuelle Hardouin, Lisa Liautaud, Delphine de Vigan, Stéphanie Hochet, Stéphane Nolhart.

Mes éditeurs :

Héloïse d'Ormesson et Gilles Cohen-Solal.

Ainsi qu'Emmanuel pour sa bienveillance, Sarah pour son œil de lynx, et toute l'équipe d'EHO pour son travail et son attention.

Et bien sûr, ma femme, Christine Cobert.

Une partie des droits d'auteur de ce livre est reversée au *Fleuron Saint-Jean*, la péniche dont il est question dans les pages de ce roman.

Pour ceux qui voudraient faire un don ou proposer leur aide, voici une liste non exhaustive des associations nationales, auxquelles s'ajoutent toutes les associations locales et régionales dont le travail et l'engagement méritent plus que jamais d'être soutenus.

Il n'y a pas de petits gestes, un élan est toujours grand.

Harold Cobert

Le Fleuron Saint-Jean
Port Javel Bas
75015 Paris
01 45 58 35 35

Le Fleuron Saint-Michel
30, quai d'Asnières
95600 Asnières
01 47 91 19 20

Œuvres hospitalières françaises de l'ordre de Malte
42, rue des Volontaires
75015 Paris
01 45 20 80 20

Croix-Rouge française
98, rue Didot
75694 Paris Cedex 14
01 44 43 11 00
n° national : 0 820 16 17 18
www.croix-rouge.fr

Secours populaire
9/11, rue Froissart
75140 Paris Cedex 03
01 44 78 21 00
www.secourspopulaire.fr

Secours catholique
106, rue du Bac
75341 Paris cedex 07
01 45 49 73 00
www.secours-catholique.asso.fr

Association Emmaüs
32, rue des Bourdonnais
75001 Paris
01 44 82 77 20
www.emmaus.asso.fr

Les Restos du Cœur
8, rue d'Athènes
75009 Paris
01 53 32 23 23
www.restosducoeur.org

Les Enfants de Don Quichotte
24, rue de Milan
75009 Paris
www.lesenfantsdedonquichotte.com

La Bagagerie
101, rue Rambuteau (terrasse Lautréamont)
75001 Paris
09 54 82 91 28
www.mainslibres.asso.fr

Et pour ne pas oublier tous les Baudelaire anonymes :

SPA
39, boulevard Berthier
75847 Paris Cedex 17
01 43 80 40 66
www.spa.asso.fr

Fondation 30 Millions d'Amis
75402 Paris Cedex 08
01 56 59 04 44
www.30millionsdamis.fr

*Achevé d'imprimer
sur Roto-Page
par l'Imprimerie Floch
à Mayenne, en avril 2009.
Dépôt légal : mai 2009.
Numéro d'imprimeur : 73326.*

Imprimé en France